佐藤 優

Masaru Sato

天才たちのインテリジェンス

ポプラ新書

256

はじめに

2024年は激動の年になる。

第1の焦点は11月に行われるアメリカ大統領選挙だ。「もしトラ」(もしトランプが大統領になったら)という言葉をちらほら見かけるようになったが、ドナルド・トランプ氏が大統領に当選したら、アメリカの内外政に大きな変化が生じる。「もしトラ」を意識して私は本書を作った。

ここだけの話だが、私はトランプ氏が大統領に当選したほうが、世界は安定すると考えている。バイデン現大統領は、民主主義VS権威主義(もしくは独裁)という価値観外交を展開している。アメリカ人はこの価値観が普遍的であると考えているが、私はそう思わない。フランスの人口統計学者で歴史学者のエマニュエル・トッド氏が繰り返し強調しているように、自由、民主主義、市場経済というアメリカ人が普遍的と考える価値観は、アングロ・サクソンの家族類型並びに文化と結び付いた特殊なものだからだ。アメリカ人やイギリス人がそのような価値観を信奉することは自由だ。しかし、日本人やドイツ人、ロシア人、中国人などは、自らの文化に基づいた価値観を堂々と主張すべきだ。各国は他国の主権、伝統、文化を尊重する棲み分け外交を展開したほうがいい。

　トランプ氏は自分が当選したらウクライナ戦争を止めると宣言している。賢明な方針だと思う。外務省国際法局長、インドネシア大使をつとめた石井正文氏はこう述べている。「ウクライナの戦地で多くの命が失われている状況は、昨今、日本政府が唱えている人間の尊厳にも反しています。これ以上、戦争を続けるのはやり過ぎでしょう。欧米には『支援疲れ』が広がり、米大統領選で共和党のトランプ前大統領は『自分が大統領になればウクライナ戦争を止める』と明言しています」（2024年1月20日「朝日新聞デジタル」）

「トランプ氏が返り咲くかはまだわかりませんが、いずれにせよ欧米の支援が細っていけばウクライナは戦えなくなります。こうした事態を想定し、停戦を模索すべきタイミングです。ロシアが侵略で得をした形にならないような停戦条件を各国が話し合い、共通認識を築くことが必要です」(同上)

石井氏は、「ウクライナの戦地で多くの命が失われている状況は、昨今、日本政府が唱えている人間の尊厳にも反しています」と述べているが、これは日本外交の方針転換を踏まえた上での発言だ。2023年9月19日、ニューヨークの第78回国連総会において岸田文雄首相が一般討論演説を行った。その内容が実に興味深い。

「議長、世界は、気候変動、感染症、法の支配への挑戦など、複雑で複合的な課題に直面しています。各国の協力が、かつてなく重要となっている今、イデオロギーや価値観で国際社会が分断されていては、これらの課題に対応できません。

我々は、人間の命、尊厳が最も重要であるとの原点に立ち返るべきです。我々が目指すべきは、脆弱な人々も安全・安心に住める世界、すなわち、人間の尊厳が守られる世界なのです。
国際社会が複合的危機に直面し、その中で分断を深める今、人類全体で語れる共通の言葉が必要です。人間の尊厳に改めて光を当てることによって、国際社会が体制や価値観の違いを乗り越えて、人間中心の国際協力を着実に進めていけるのではないでしょうか」（2023年9月19日、「首相官邸」HP）
米国は、民主主義という普遍的価値観を世界的規模に拡大する価値観外交を展開している。日本もウクライナ戦争では民主主義陣営のウクライナを支援し、権威主義的なロシアと対決するという姿勢をとってきた。しかし、この国連演説で岸田氏は、「イデオロギーや価値観で国際社会が分断されていては、これらの課題に対応できません」と明確に述べている。これは価値観外交からの訣別だ。この外交方針の転換を踏まえてウクライナ戦争への対処方針を練り直すと石井氏の言説になるのだ。
もっとも誰がアメリカ大統領になろうとも、アメリカの影響力が国際的に低下する方向は変わらない。この空白から、新たな勢力均衡線が引き直される。

日本を取り巻く環境を見ると、20年前と比較して中国、ロシア、韓国、北朝鮮が国力を強化したのに対して、アメリカと日本はそうならなかった。従って、引き直される勢力均衡線は日本にとって不利になる。この現実を冷静に見据えた上で、国益（そこには国家益、国民益双方の意味がある）の極大化を図らなくてはならない。この総力戦を準備するにあたって、本書に登場する日本の最良の知性が必要になる。

2024年1月29日、曙橋（東京都新宿区）の仕事場にて、

佐藤 優

天才たちのインテリジェンス／目次

第1章

白井 聡

――奴隷根性こじらせていませんか?

白井 聡

しらい・さとし

政治学者。1977年生まれ、東京都出身。京都精華大学国際文化学部准教授。『永続敗戦論――戦後日本の核心』で第4回いける本大賞、第35回石橋湛山賞、第12回角川財団学芸賞を受賞。近著に『国体論――菊と星条旗』など。

日本の対米従属の異様さは、「アメリカは日本を愛している」という虚構に基づいている ――白井

佐藤　「ミネルヴァの梟(ふくろう)は黄昏に飛び立つ」。白井さんの新刊『国体論――菊と星条旗』を読んで、ヘーゲルが『法の哲学』序文で述べたこの言葉を思い出しました。時代が可視化されるのは、それまでのシステムが限界を迎えるときです。『永続敗戦論――戦後日本の核心』からつながる流れとして、いよいよ、日本とアメリカとの関係も変化する時期にきたのだと。

白井　終わりが見えていながら、延々と引き延ばされている状況ですよね。『永続敗戦論』を書いたのは安倍政権が成立して間もない時期でした。まあひどい政権になるだろう、という予見と理由は同書に書いた通りですが、まさか6年（当時）にも及ぶ長期政権になるとは思いもせず。それへの苛立ちが『国体論』を書くモチベーションにもなりました。

佐藤　対米従属論に関しては非常に複雑で、言ってみればアメリカに全く従属していない国というのは世界でも少ない。白井さんはその上で、日本独自のねじれた対米従属のあり方を問題にされていると思うのだけれども。トランプ政権の誕生で、また急激に予見が変化しましたね。トランプの介入によって朝鮮半島情勢の問題が解決すれば、地政学の見地から言っても、必然的に米中対立が本格化しますから。

白井　はい。これまで私は、日本の対米従属の異様さは、「アメリカは日本を愛してくれているのだ」という虚構に基づいている点にあると考えてきました。しかしトランプ大統領は「愛しているフリ」のゲームを続ける気がない。いよいよ対米関係を相対化しないわけにはいかない状況になってきました。
　その動きを背景に、北方領土問題も動き出す気配がありますね。

佐藤　ええ。現政権の間に歯舞群島、色丹島の返還でケリをつける可能性があります。正確には2島＋アルファ（国後島と択捉島はロシアの法律に服すものの、日本人はパスポートなし、関税免除してもらうなど特別に優遇する法を作る案）の形で。

海図なきままに泳がざるをえない
自分で考えなければ生き残れない時代 ──佐藤

白井　ただ、ここまで対米従属している政権にそれができるのか、半信半疑でもあります。というのもこれまでの4島一括返還という要求は、歴史的経緯からしても無理筋でした。要するに解決する気がなかったわけですよね。

佐藤　当時の反共体制においてはそうでしょう。アメリカが小笠原と沖縄に施政権を行使している状態で歯舞群島と色丹島を引き渡されたら、日本国民にとってはアメリカよりソ連のほうがいい国だってことになりますからね。

白井　それは「愛しているフリ」としては都合が悪かった、と。

佐藤　しかし現在、トランプ政権は北朝鮮との関係改善に動いている。朝鮮半島情勢の問題が解決すれば、韓国・北朝鮮・中国も地続きとなり、提携が強まる。明らかに北東アジアのバランスが崩れるから、カウンターボーナスとしてロシアが出てきているわけです。トランプの登場で冷戦構造が壊れ始め、一昔前の言葉を使うなら「帝国主義」的な再編が起きているると言える。

白井　そういったシナリオは誰が書いているんですか。

佐藤　集合的無意識でしょう。日本のエリート層が今のまま日本国家で生き延びるために、無意識で起こしている潮流ですよ。

白井　やはり行き当たりばったりで、計画性はないのですね。

佐藤　この先はさらに何が起きるかわからない。私みたいに分析専門家をやっていると、悪いシナリオと、ものすごく悪いシナリオしか見えないけれど。

白井　私も特に3・11以降、最悪の想定しかしなくなりました。

佐藤　安倍政権に関しても、好き嫌いはともかく次によりマシな政権がくる可能性はかなり低いですよ。混乱は免れない。しかもその閉塞した状況が、世界全体を通じて起きている。これまでの常識が通用しなくなるかもしれない状況下で、海図なきままに泳いでいかないといけない。いよいよ自分で考えなければ生き残れない時代になっていくでしょう。

染みついた奴隷根性を恥ずべきものと思うこと ――白井

白井 今、一番気になっているのは、覇権国が移行する過程で起こるかもしれない、戦争のことです。これまでの歴史上、覇権が移行するときはしばしば大きな戦争が起きていますよね。20世紀に覇権はイギリスからアメリカに移行しました。それが中国へ移るとなったとき、アメリカも座視はしないでしょう。そのとき歴史のけじめとして何らかの犠牲が必要になる。このままでは日本人に矛先が向くと思うんです。自立心がなく、奴隷根性が染みついた民族としてその命の価値が軽く見なされるのではと。

佐藤 少なくとも外交上では、日本の存在感はほぼありません。

白井 日本人は能力があるはずなのに、こんな情けない状態になっているのは、それこそ『国体論』で論じたような、「国体教育」の賜物だと思うのですが。

かつて天皇を頂点とした国家として行われていた国体教育は、現在も、トップをアメリカにすげ替えた形で我々を支配しています。今後この日本で生き残るためには、まず自分たちに無意識のうちに根づいてしまっている奴隷根性を恥ずべきものと思わないと。

佐藤 代議制民主主義の社会モデルとしては、国民一人ひとりが外交や政治について考えなきゃいけない社会は本来よろしくないんですよ。自分たちの中で代表者を決めたら、政(まつりごと)は彼ら彼女らに任せ、一般市民は個々の経済や文化で自己の可能性を形にしつつ納税し、家庭を持ち、子どもを育て……という、マルクスの言うところの再生産を行えばいい。

しかし今、その再生産の仕組みが成り立たなくなっています。さらに、指導者となるべきエリート層の思考力が著しく低下している。このような状況下で何も考えずにいると、気づいたときには自分の望まない環境にいる可能性が高くなるでしょうね。

偏差値教育的な学力は意味がない
自分や自分のまわり以外の
気持ちを推し量る訓練も大切 ——佐藤

白井 以前、ちょうどブラック企業という言葉が世の中に知られるようになってきた頃ですが、大学で働き方についての講義をしたのです。そうしたらアンケートに「ブラック企業には入らないようにしたい」というだけの感想が複数あったときは呆れました。そりゃ誰だって入りたくないに決まってますよ。でもそこしか働く場所が見つからなかったり、まともだった企業がいつしかブラックになってしまったりする。そういうところに一切想像力が及ばない。きわめて消費者的です。買い物ならお金を持っていれば好きなものを買えるのと同じように、自分だけは何でも好きなように選べると思い込んでいるのでしょう。根拠もなく。

佐藤　その点からも教育が重要になります。お受験的、偏差値教育的な学力は意味がありません。もっとも、未知の問題に出合ったとき、総合的な見地から理解し、対応する力を養うのはそう簡単なことではないけれど。自分や自分のまわり以外の気持ちを推し量る訓練もしなければいけませんし。

もっとも今の日本では、指導者となるべき大学人もかなり疲れている。白井さんのようにアカデミックな手続きを踏んだ上でのきちんとした文書を書きつつ、賢母的に大学で学生たちと向き合っている若手が少ないことも問題ですね。

白井 僕自身ももっとリスクを取って「君のように何も考えない人間がいるから、ブラック企業がなくならないんだね」くらい言うべきかもしれません。結局誰も教えてくれなかったから、大学生にもなってまことに情けない状態になっている。さらに「空気を読め」という風潮で自分の意見も言えず、いいように利用されたり、鬱になったり。それじゃ何のために生まれてきたのかわからない。生きている以上、何らかの制約は必ずあります。その中で少しでも自由に、自分が思うように生きるため、僕らは学ぶのだと思うんです。

（対談収録 2018年10月16日）

制約に囚われながらも、
少しでも自由に
自分が思うように生きるため、
僕らは学ぶのだと思う
――白井

required reading

『永続敗戦論――戦後日本の核心』
太田出版／2013年3月（講談社＋α文庫／2016年11月）

1945年以来ずっと、われわれは「敗戦」状態にある――。「敗戦」を「終戦」に置き換えることで敗戦の事実を否認し続け、「戦後レジームからの脱却」を掲げながらも実行することなく政権を維持してきた自民党政権の実態。敗戦の否認は際限ない対米従属の継続につながり、また対米従属によって敗戦状態は永続する。戦後日本の本質とは何だったのか。戦後の本質が今日の社会的・政治的危機をどのようにして生み出しているのかを論じた必読の日本論。第4回いける本大賞、第35回石橋湛山賞、第12回角川財団学芸賞を受賞。

『国体論――菊と星条旗』 集英社新書／2018年4月

どうすれば日本は自立した国、主体的に生きる国になりうるのか？
1945年8月、大日本帝国は「国体護持」を唯一の条件として敗戦を受け入れた。明治維新から現在に至るまで日本社会の基軸となってきた「国体」。

しかしその内実は激変している。戦後の国体とは、天皇制というピラミッドの頂点に、アメリカを鎮座させたものだった——。天皇とアメリカの関係、誰も書かなかった日本の深層に切り込み、日本を「二度目の破局」から救うための警世の書。

第2章

真鍋昌平

――カネとリスクを考える

真鍋昌平

まなべ・しょうへい

漫画家。2004年より『週刊ビッグコミックスピリッツ』(小学館)にて『闇金ウシジマくん』を執筆。山田孝之主演でドラマ化や映画化もされるなど、大ヒットを記録。2019年に完結。現在、同誌にて法とモラルの極限を描く『九条の大罪』を執筆中。

カネ、権力、暴力の3つは、それぞれ代替性がある ──佐藤

佐藤　真鍋さんのサングラス素敵ですね。私もほしいのがあるんですよ。俳優の白竜さんがプロデュースしたモデル、凄みがあっていいんだよね。

真鍋　佐藤さん、すでに迫力十分じゃないですか。先程いらしたとき、どこのマフィアが来たのかと思いました（笑）。

佐藤　ふふ。2004年から連載されている『闇金ウシジマくん』も最終章に入り、いよいよ佳境ですね。初期の「フーゾクくん編」に登場した風俗嬢の杏奈が、現在の「逃亡者くん編」で再登場したときには、すごい構

想力だなと感心しながら読んでいました。一読者として大変興味深く楽しんでいますが、そもそもなぜ闇金というテーマに目をつけたんですか？

真鍋 ずっと身近にある葛藤の物語を描きたいと思っていました。けれどウシジマの前に描いていた短編や雑誌連載は次々と打ち切りになってしまって。悔しくて、どうしたらアンケートで1位を獲れるか必死に考えて、誰にとっても身近で興味のあるお金を絡めた題材にしようと思ったんです。ちょうどその頃「五菱会事件」（指定暴力団山口組系旧五菱会の元幹部らが多重債務者に直接勧誘を持ちかける闇金融システムで巨額の収益を上げ、海外でマネーロンダリング＝資金洗浄したとされる事件）がメディアで騒がれ、闇金業者の情報を入手しやすくなったことが決め手になりました。もともと犯罪モノの映画も好きでしたし。

佐藤 カネ、権力、暴力の3つは、それぞれ代替性があります。暴力はカネに、そしてカネは権力になりうる構造が、ウシジマくんを読むとよくわかる。

真鍋　ウシジマくんは現代の日本社会が抱える問題の事例集にもなっています。たしかに連載開始当初の闇金業界は、やはり暴力系というか、威圧的な方が多かったですね。取材相手でも、こちらが少し距離を置いたら電話が1日に何度もかかってきたり、弔電が来たり、探偵につけられたり、生のカニが送られてきたり（笑）。

佐藤　なるほど。嫌がらせのカニであっても、腐っていなければ法に触れない。そのあたりは相手もちゃんと考えている。

真鍋　ええ。でも当時からすると闇金業界もだいぶ雰囲気が変わって、最近はカニが送られてくることもありません。当初仕切っていた人たちが別の稼ぎ口に移動したみたいですね。業界自体に金が回っていないのか、先日取材に行った沖縄なんて、スクーターで取り立てに行って、道端で受け渡しするくらいカジュアルでした。

佐藤　沖縄には昔から「模合（もあい）」という相互扶助の風習があります。毎月仲間同士で寄り集まって食事をしながら一定の金額を集めて、集まった金はそのときに必要な人から順番にもらっていくという仕組み。だから貸し借りのハードルが低いのかもしれません。

店でたまたま隣に座った人にもどんどん話しかけちゃいますね――真鍋

佐藤 私は沖縄出身なので気になっていたんですが、なぜ「逃亡者くん編」の舞台を沖縄にしたんですか?

真鍋 取材中にたまたま沖縄に逃げた人の話を聞いたんです。作中で描いた、2部屋を借りてカネを隠す方法も実話をもとにしています。

何度か取材で行くうちに、沖縄って観光で行くにはいいけれど、住むとしたら娯楽も少なくて、いい仕事もあまりない。だからパチンコやお酒にハマってお金を借りるしかなくなるという環境になっていくんだなと、構造がわかった気がします。

佐藤 沖縄はある意味、日本の矛盾が集約している土地ですから。それにしても毎回、かなり綿密な取材をされているんですね。

真鍋 シリーズごとのキャラクターはわりとモデルがいます。一人のことも複数のこともありますが、裏社会に詳しいライターさんや知人のツテをたどって話を聞かせてもらっていて。ウシジマを始めとするカウカウファイナンスの主要人物には特にモデルはいないんですけど。あ、ウシジマが飼っている「うーたん」は昔飼ってたうさぎがモデルです。名前もうーたん。

佐藤 そうでしたか。かなり闇深いテーマにも切り込んでおられますが、取材で危ない目に遭うことはないんですか。

真鍋 ヤンキー全盛期の工業高校出身なので、「輩（やから）」の方々に対しても一般の人より文化的抵抗は少ないというか、適度な距離感をキープするバランス感覚はあるほうだと思います。むしろ自分は酔っ払って路上で寝たりするので、そちらのほうが危険かもしれません。

佐藤 お酒はどんな方と飲むんですか。

真鍋 取材相手とか、漫画家とか。店でたまたま隣に座った人にもどんどん話しかけちゃいますね。

佐藤 人への興味がとても強いんですね。

真鍋 そうですね。実は自分も佐藤さんの本を読んでいて、すごく人に対する興味が強い方なんだなって、勝手にシンパシー感じてました。

佐藤 それは何よりです。

本当にほしいものだけ所有していれば、そこまで金に困ることってない ――真鍋

佐藤 『FILT』は若い世代の読者も多いので、金銭トラブルに遭わないための助言があれば教えてもらえませんか。

真鍋 見栄とか他人の目とか、そういう自分を縛るものを極力減らしていけば、騙されることはない気がします。

そもそも本当にほしいものだけ所有するようにしていれば、そこまで金に困ることってないと思うんです。例えば自分は、その日の酒代だけあればいいっていう感覚です。そのほかのものがなくても、ないなりの

楽しみ方があるから。他人の価値観に沿ってそこまで必要じゃないものにまで欲を出したらキリがないですし、そういうことをしていると、余計なトラブルを引き寄せやすくなるんじゃないかなって思います。

佐藤 中途半端な欲望ほど危険なのかもしれません。たいして親しくない友だちとの交際費や衣食住のグレードなど、自分にとって本当に必要かどうかを深く考えずに誰かのものさしに合わせていると、必要なものにすらカネが回らなくなる。

真鍋 それと女性の場合は、ヒモ体質の男に引っかからないことですね。ヒモ体質って大体DVとセットです。DVの被害に遭っていると、冷静な判断能力も失われてしまいます。特に生育歴——育った家庭環境が複雑だったり、自分に自信がなかったりする女性は、ヒモ体質の男の上辺（うわべ）の優しさみたいなものにすがりついて視野が狭まり、搾取されやすい傾向を感じます。

佐藤 「そんな相手やめなよ」って言ってくれる、いい友だちがいればいいんだけど。

真鍋　なかなか根深い問題ですね。

誰かに無償で助けてもらった経験がある人間は、きちんと返す ――佐藤

真鍋　一度、「風俗をやめたいのにやめられない」という女の子に1ヵ月分の生活費を貸したことがあります。あげるつもりで。出会った頃はショップ店員だったから、その1ヵ月で就職活動をして、元の仕事に戻れたらいいと思ったんですけど。

佐藤　どうなりました？

真鍋　いっこうに働こうとせず、さらにお金をせびるようになってきたので付き合いを断ちました。

佐藤　愛着障害（乳幼少期に何らかの原因により、母親や父親など養育者との愛着形成がうまくいかず問題を抱えている状態）などの問題も関わってきますね。

真鍋　そういった問題の根本は、誰にも肩代わりはできない。自分で解決するしかないので。

佐藤　私もソ連時代を含め200人以上にカネを貸したけど、返ってきたのは3人くらいですね。まあお金を出す、貸すことは別に問題ないんです。自分は借りは作らないようにしているけれど、人間関係の一環としてわりと金は出すほうです。今は優秀な学生の支援もしていますし。

真鍋　面倒見がいいんですね。どのくらいの額ですか。

佐藤　ケースバイケースですが、生活費から学費まですべて面倒を見ると数百万単位になりますね。勉強できる時間は短いから、優秀な学生にはバイトせずに学業に専念してほしくて。

真鍋　返済期限はあるんですか?

佐藤　特に設けていないけれど、彼らは返すと思う。誰かに無償で助けてもらった経験がある人間は、きちんと返す。私も学生時代に先生たちが割のいいバイトでお金を回してくれたからこそ研究に力を注ぐことができ、外交官試験にも合格できたと思っていますから。学生の支援をしているのは、その恩返しでもあります。

真鍋　有効なお金の使い方ですね。

バイトを一切やめて生活費は全部消費者金融で借りて漫画に専念して新人賞を受賞――真鍋

真鍋 自分もデビュー前の20代半ばに一念発起して、バイトを一切やめてマンガに専念した時期があります。佐藤さんのように面倒見てくれる人はいなかったので、そのときの生活費は全部、消費者金融で借りました。そのときに3ヵ月くらい全力で描いた作品が『月刊アフタヌーン』という漫画雑誌の新人賞で大賞を獲れて、100万円くらいの賞金と原稿料で全額返済できてよかったんですけど。もし賞金が入らなかったら、借金だけが残る状況でした。

佐藤　思い切りましたね。本当に実力のある人にしかできない。

真鍋　基本的にある程度のリスクは取るほうです。今より面白いことがしたいと思ったら絶対にリスクはつきものじゃないですか。

　人間関係も同じで、ある程度踏み込んで付き合わなければ仲良くなれないし、深い話も聞けない。もちろん、自分が全然楽しいと思えない面倒事は避けますが。カネもリスクも良い悪いはなく、捉え方、付き合い方次第なのかなと思いますね。

（対談収録　２０１７年10月17日）

今より面白いことがしたいと思ったら
絶対にリスクはつきもの。
カネもリスクも良い悪いはなく、
捉え方、付き合い方次第 ――真鍋

required reading

『闇金ウシジマくん』 小学館／2004〜2019年

『週刊ビッグコミックスピリッツ』（小学館）で連載、全492話。ビッグコミックス全46巻。第56回小学館漫画賞一般向け部門受賞。

利子10日5割（トゴ）という闇金融「カウカウファイナンス」の経営者・丑嶋馨と従業員の日常、およびカウカウファイナンスを訪れる客のエピソードを中心に、社会や人間のストーリーが展開。本文中にも登場した「フーゾクくん編」、「逃亡者くん編」ほか、シリーズ名は主に債務者の属性「○○くん編」で統一されている。

テレビドラマ化、映画化もされているほか、スピンオフ作品も多数。

第3章

村田沙耶香

——常識をグラッとずらしてみると

村田沙耶香

むらた・さやか

小説家。1979年生まれ、千葉県出身。2003年に『授乳』で群像新人文学賞優秀作を受賞しデビュー。2009年に『ギンイロノウタ』で野間文芸新人賞、13年に『しろいろの街の、その骨の体温の』で三島由紀夫賞、16年に『コンビニ人間』で芥川賞を受賞。著書に『殺人出産』『消滅世界』『地球星人』など。

自分の中に潜んでいたであろう感情や深層心理に存在するものが解凍されて物語に出てくる ——村田

佐藤　村田さんの小説には、現代を生きる人間の内面や、社会が抱える問題が網羅されていますね。例えば芥川賞を受賞した『コンビニ人間』では、まずメカニズム論が展開されています。形ができることで文化が変わっていく。マニュアル化されたメカニズムが人間にまで及ぶと、主人公の古倉さんのような人物像になる。リアリティがあります。

村田　ありがとうございます。光栄です。

佐藤 古倉さんの彼氏——というのか、主要人物の一人である白羽さんもなかなかすごい。自意識が高いにもかかわらず実力は低く、女性蔑視もひどく、さらにお客さんの住所を控えるというストーカーぶり。最悪ですけど、ああいうタイプは高級官僚に結構います。

村田 白羽さんは最初ちょっと登場するだけのはずでしたが、書いていくうちにどんどん膨らんでメインキャラになって、どんどん迷惑な人になってしまいました（笑）。

佐藤 彼が「餌」を食べながら古倉さんの自宅の風呂場に住んでいる描写も生々しい。私は食いしん坊だから、「食」という観点でもとても興味深かった。コンビニエンスストア自体、日本の食文化に非常に大きな影響を与えていますよね。肉屋のコロッケも居酒屋のおにぎりも、コンビニの味に近づいていています。おにぎりの海苔を別出しにするとか。

村田 そうかもしれないですね。私はコンビニでしか買わないのであまり気づかなかったですけれど。

佐藤　食というテーマは、最新作の『地球星人』で究極まで突き詰めて考えられています。重要なネタバレになるから詳しくは言及しませんが。そして『地球星人』では物事を相対化する視座を得る思考実験もなされています。何かに恐怖を感じているとき、その対象もまたこちらを恐れている……というような。それは現実の外交においても非常に重要な視点です。

『コンビニ人間』と『地球星人』に描かれていることで、今の世の中で起きている出来事はだいたい説明できる。数年後も確実に読み続けられるであろう古典的な価値を備えているんですよね。

村田　嬉しいです。とても深く読んでくださっていて。実は私はテーマを何も考えずに書き始めるんです。『コンビニ人間』はコンビニを、『地球星人』は長野を舞台にする、決めていたのはそれだけなんですね。書き進めるうちに、自分の中に潜んでいたであろう感情や深層心理に存在するものが解凍されて、物語に出てくるんだと思うのですけど。

タブーに挑んだ小説というより、自分たちの深層意識の蓋を開いてくれる感覚に近い
——佐藤

佐藤 それでも共通するテーマがあり、深化している印象です。生殖と性愛の分節化もその一つでは。キャリアを重視するエリートは結婚もビジネスライクに考える人間が多いので、子どもがほしくなったら人工授精一択、というカップルも珍しくありません。周囲に言わないだけでね。そのあたりもリアルだなと思います。

村田 私は普段は、小説の登場人物と違ってぼんやりしているんですが、誰か

と話しているときに、ふとした言葉が引っかかって心の底に残ることが多いんです。例えば、婚活アプリで出会って結婚した友人が何人かいます。その中にお互いに家族として穏やかに生活を営める相手だと感じて結婚したという友人がいます。でも子どもがほしいとなると急にセクシャルな行為が必要で、それが違和感あるし恥ずかしい、と冗談ぽく話していて。それで、セックスレスが悪いこととは思わないし、分けて考えてもいいのでは……というテーマに関心がいったのだと思います。

佐藤　発想にも小説にも外部性があるんですね。これはＡＩには決してできないことです。外部性——自分の内側ではなく、外部から何かが入ってくる、という感覚は、僕もそうですが、キリスト教圏の人間にはさらに強く刺さるものがあると思う。

村田　『コンビニ人間』はアメリカ、ドイツ、フランス、韓国、台湾で翻訳していただいて。『地球星人』はこれからなので、どん引きされたらどうしようと今からドキドキしています（笑）。

佐藤 それはないでしょう。タブーに挑んだ小説というより、自分たちの深層意識の蓋を開いてくれる感覚に近いはず。作風としてリアリズムの要素が非常に強いんですよね。私たちの生きている現実の上で話が展開する。なのに、どこか常識をグラッとずらしていく。時事的な問題意識も強いのだと思いました。『コンビニ人間』は、社会で発達障害が話題になり始めた時期とも重なりましたし。

村田 文学の世界で重要なテーマとして扱われているみたいですね。古倉さんの具体的な病名については、アメリカやイギリスでの登壇イベントでもかなりご質問をいただきました。具体的な名前は出さないようにと決めていたので、そうお答えしたのですが。

変なことをしないよう、失礼のないよう、まわりを見て、必死にトレースしながら生きています　――村田

佐藤　『殺人出産』は、今の政府がやっている子育て支援の延長線上で考えうる世界にも相当近いです。どちらが主流でどちらが非主流かという観点で考えても大変に面白い問題提起になる。そういうことが書けるということは、村田さんが大いなる常識を持っている方だからとも思っていました。

村田　たしかに変なことをしないよう、失礼のないよう、まわりを見て、必死

にトレースしながら生きています。子どもの頃から良い子でいなければいけないという思いが強くて、人を嫌うこともいけないと思ってきましたから……。

佐藤　トレースはある程度みんなしていると思うんですよ。そうしなければ弾かれてしまう社会だから。ただ、たばこは受動喫煙の害があるので全面的に禁煙にするとか、コンビニから成人誌を完全に排除するとか。そんな綺麗な世界で、はみ出ないようにまわりをトレースして……となると、誰でもくたくたになってしまう。

　そんな枠に収まらない人たちがいながら社会が成り立ってもいいじゃないか、ということを極端な形で描くのが小説なわけで。方向性や答えを示すのではなく読者に委ねる姿勢に非常に共感しましたし、強靱な思考力がないとできないことだと思います。

人見知りなので
オープニングスタッフに応募して
閉店まで見届けていました ――村田

佐藤 村田さんは芥川賞受賞後もコンビニで働き続けていたことも話題になりました。アルバイトは大学時代からですか。

村田 はい。ものすごい人見知りなので、オープニングスタッフの募集を見て始めました。そのお店が閉店してしまったあとも、オープニングスタッフに応募しては閉店まで見届けるというアルバイト生活を続けていました。コンビニって店員の制服も男女同じで、無機質な感じが合っていたたんだと思います。

佐藤 今は完全に執筆に専念されているんですよね？

村田 そうなんです、続けたかったのですが、残念ながら忙しくて両立できなくなってしまって。今は喫茶店や、出版社さんに通って、スペースをお借りして原稿を書いています。

佐藤 私は自宅周辺と箱根に複数の仕事場を用意して、テーマ毎に場所を移動して書いています。資料も全部分けてあるから。

村田 ええ！ すごいですね。私も仕事部屋を2回借りたことがありますが、2回とも出社拒否になってしまいました（笑）。

佐藤 なりますよね。複数用意するといいですよ、どこかには行くから。逃げ場は用意しておくことが大事です。それに外で書いていると、読者の方に話しかけられたりしませんか？

村田 ないんですよ。1リットルのミネラルウォーターをバッグに入れていたとき、年配の女性に「大きい水を持ってますね」と話しかけられたこと

佐藤 があるくらいです（笑）。
そうでしたか。最近は学生を見ていると2リットルのペットボトルを持ち歩いてる人もいますけれども。
しかしフィクションとノンフィクションでは、手法や思考は正反対とまでは言わないけれど、かなり違いますね。フィクションが粘土をこねて形を造っていくとしたら、ノンフィクションは木をノミで削っていく作業だと思う。削りすぎちゃうと戻せない。

村田 私はテーマも展開も決めずに創作を始めるんです。子どもの頃から、本は好きだけどおとなの意図を感じるたぐいの絵本や児童書は嫌いだったんです。だから今も、作家の意図を感じる小説は書きたくないですし、書けないのかもしれません。佐藤さんは、テーマを最初からかっちり決めているんですか？

佐藤 ノンフィクションは現実世界に即しているから、ある程度テーマが決まってきます。私のように外交問題を扱っていると、例えば今であれば、韓国は外せない。それから今後大きな問題になるであろうベネズエラとかね。

村田さんは特にテーマを決めずにということですが、今はどんなことに関心がありますか?

村田 小説のテーマとは違うんですが、英会話はちゃんと勉強しなければと思って焦っているところです。海外での翻訳出版の関係でイベントに呼んでいただくことも増えているので。スピーチはなんとかなったとしても、その後の歓談についていけないんです。一人だけ通訳さんを通じて時間差でジョークに笑ったりするのが、いたたまれなくて(笑)。

佐藤 英会話は数をこなしていけば大丈夫ですよ。本当に、時間を置かずに世界的規模で活躍する作家になられると思う。次回作も楽しみにしています。

(対談収録 2019年2月7日)

普段はぼんやりしているんですが、
誰かと話しているときに、
ふとした言葉が引っかかって
心の底に残ることが多いんです
──村田

required reading

『殺人出産』 講談社／２０１４年７月

「産み人」となって10人産めば、１人殺してもいい。殺人が悪だったのは１００年前のこと。出産とセックスが切り離され、人工授精が主流となった社会では、命を奪うものが命を造る「殺人出産システム」で人口が調整されていた。夫婦でのセックスは近親相姦としてタブー視され、男性も人工子宮をつければ出産可能。「産み人」は命を造る尊い存在として崇められている。ごく一般的な生活を送る会社員の育子にも、十代のうちに「産み人」となり、10人目の出産を控えた姉の環がいた。姉の殺意はどこへ向かうのか――。

初出『群像』２０１４年５月号。第14回センス・オブ・ジェンダー賞少子化対策特別賞受賞。

『コンビニ人間』 文藝春秋／２０１６年７月

古倉恵子、36歳。恋愛経験なし。就職経験なし。コンビニバイト18年目。夢の中でもレジをうち、日々食べるのはコンビニ食のみ。家族に病気を疑われたこともあるけれど、完全にマニュアル化された清潔なコンビニの「店員」でいるときだけは、世界の正常な歯車になれた。そんなある日、奇妙で横柄な男性・白羽が新人としてはいってくる。婚活が目的という彼は問題ばかり起こすのだけど──。
初出『文學界』2016年6月号。第155回芥川賞受賞。2019年にラジオドラマ化されたほか、世界39ヵ国語に翻訳されている（2023年2月現在）。

『地球星人』 新潮社／2018年8月
地球では、若い女は恋愛をしてセックスをするべきらしい。恋ができないと、恋に近い行為をやらされるシステムになっているらしい。地球星人が繁殖するために作りあげたであろう仕組みの中で、いつまで生き延びればいいのだろう──。
「魔法少女で、かつ、ポハピピンポボピア星人である」小学生の奈月は、年に一度の長野の親戚との集まりで会える従兄弟で恋人の由宇と約束をした。他の女の子と手をつないだりしないこと、寝るときに（針金で作った）指輪をつけて眠ること、そして、「なにがあってもいきのびること」。
今いる世界の「あたりまえ」が吹き飛ぶ衝撃の展開と驚愕のラストが話題に。

第4章

斎藤幸平

――ポスト・コロナの「脱成長」社会を生きる

斎藤幸平

さいとう・こうへい

哲学者、経済思想家。1987年生まれ。東京大学大学院総合文化研究科准教授。ベルリン・フンボルト大学哲学科博士課程修了。博士(哲学)。専門は経済思想、社会思想。Karl Marx's Ecosocialism:Capital, Nature, and the Unfinished Critique of Political Economy(邦訳『大洪水の前に』角川ソフィア文庫)によって権威ある「ドイッチャー記念賞」を日本人初、歴代最年少で受賞。同書は世界9カ国で翻訳刊行されている。日本国内では、晩期マルクスをめぐる先駆的な研究によって「日本学術振興会賞」受賞。近刊は『マルクス解体』(講談社)、『ゼロからの『資本論』』(NHK出版新書)、『ぼくはウーバーで捻挫し、山でシカと闘い、水俣で泣いた』(KADOKAWA)。『人新世の「資本論」』(集英社新書)で「新書大賞2021」を受賞。

日本での若い世代の環境運動を鼓舞するようなものを理論家として書きたかった ──斎藤

佐藤　『人新世(ひとしんせい)の「資本論」』、久しぶりに読みごたえのある面白い本が出てきたと思いました。非常に真っ当なマルクスの読み方をされている。

純粋な資本主義は資本家階級と労働者階級によってなされるわけですが、実際にはもう一つ、地代を得る地主という階級が出てくる。マルクスはそれを三位一体の公式として『資本論』に書いている。ただ、そこだけ読むと論理的におかしいんです。最終的には二つの階級に収斂(しゅうれん)するはずであって。しかし「土地」はまさにエコロジカルな事柄を含んだものと捉えるとしっくり来る。
土地、エコロジーは資本によっても労働によっても作ることはできない、という環境規約制の話なんですよね。

斎藤　この本をそんなふうに読んでくださって嬉しいです。自然の限界が社会や経済に制約を与えていることを常にマルクスは意識していたにもかかわらず、彼の環境思想は150年ものあいだ眠っていました。そのせいで、20世紀のマルクス主義の議論は、マルクス自身の思想的到達点とはかけ離れたものになり、「生産力を増強して自然を乗り越え、労働者たちに潤沢な財を供給して、人間の解放につなげよう!」という議論に陥っていました。けれど、「人新世」という環境危機の時代に突入したこともあり、私たち文献学者が発掘したマルクスの危機への処方箋が世界的に注目を集めています。
もう一つ、執筆のきっかけは、15歳で活動を始めたスウェーデンの環境活動家・グレタ・トゥンベリを始めとする、若い世代の台頭でした。「もっと真剣にシステム・チェンジに取り組め」という彼らの声に応答し、日本での運動を鼓舞するようなものを理論家として書きたかった。だから若い人でも手の届きやすい新書として出版しました。

佐藤　キリスト教の視点からすると、エコロジーの問題には「創造の秩序（Orders of creation：創造主である神が定められた、創造における秩序の概念）」の問題が絡んでくるんですよ。プロテスタント神学の主流派は「創造の秩序」を認めないから、エコロジーの発想が出てきにくい。一方でカトリックには、自然の中にも神の啓示があるという自然神学がある、つまり「創造の秩序」を尊ぶから、自然は自然のままであるべきであり人間が手を出すものではない、という論調になる。そちらにいくとまた胃袋がねじれるような世界になってくるわけですが。

斎藤　そうですよね。私の場合は宗教なしでヒューマニズム的立場から環境問題を考えたいと思っていますが。

佐藤 それにグレタさんが出てきたときに「落ちこぼれの高校生が生意気だ」というようなズレた感覚で批判する人たちも一定数いましたよね。それはもう、そういうイデオロギーで動く人たちだから、彼女が何を言っても、その言葉に耳を傾けない。

ベーシックインカムが脱成長のシンボルとして使われ富の偏在を拡張する可能性がある ——佐藤

斎藤 「経済成長こそ人間に繁栄や幸福をもたらす」というイデオロギーは強固で、資本主義が、環境破壊や貧困を引き起こす原因なのは明らかなのに、人々はそこから目を背けてきました。成長さえしていければ技術が発展して、気候変動でも貧困問題でも、なんでも解決するはずだという「信仰」です。でも、そうではないことに、コロナ禍で日本人もうっすらと気づき始めた。技術だけでは、コロナも気候変動も解決できない。環境危機に歯止めをかけるためには一定の限界内で生きる必要があり、そのためには経済をスローダウンするしかないと。

しかし、これは、「みんなで貧しくなろう」という議論ではありません。世界人口の半分の人が排出する二酸化炭素の2倍の量を、1%の超富裕層が排出しています。その人たちの浪費にまずブレーキをかける。

また、世界で26人の金持ちが、世界の下位半分の人と同じ富を持っています。これをもっと平等に富を割り振っていけば、より少ない消費量、生産量でも、多くの人たちのより良い暮らしを実現できる可能性が残っていると確信しています。

佐藤　ただ、その議論が逆用される可能性もあると思うんです。例えば「低成長で、一人7万円あれば生活できるでしょ。ベーシックインカム投入しましょう、その代わり生活保護はなし、社会保障はなし」というような。ベーシックインカムが脱成長のシンボルとして使われ、実態としては富の偏在をますます拡張する可能性があると思う。今この瞬間においては。

斎藤 日本はそういうところが非常に弱いですよね。

佐藤 いわゆる日本型社会民主主義。付加価値税に反対する社会民主主義は世界でもまれなモデルですからね、じゃあ、財源どうすんのかと。

斎藤 僕自身もベーシックインカムには反対です。

佐藤 井手英策さんが言ってるようなスウェーデン型の社会は、つまるところ総合監視社会ということだから。

斎藤 福祉国家も気候危機対策も国家の権力が強くなるソフトファシズム的要素がある。これが社会民主主義の一つの限界でしょう。

社会運動には常にジレンマがあるけれど日本の意識はその心配をする次元にもない状況　──斎藤

斎藤　それに対して、私が提唱しているのは、〈コモン〉を再建し、民主的に管理する社会です。〈コモン〉とは、水や電力、教育、医療など誰もが必要とする共有の富のことです。〈コモン〉に依拠した社会だから、コミュニズムです。もちろん、これは、国家をなくすという意味ではないし、ソ連型の共産主義とも違います。

人類の持つ最大の〈コモン〉は、地球環境です。私は15年間、海外で暮らしていたのですが、帰国して驚いたのは、環境問題に関する危機感が欧米に比べて低すぎることでした。政府の対策も「やっている感」だけ。例えば、レジ袋の廃止だけでは全く意味がない。レジ袋をやめたところで、石炭火力の発電所が一つできればチャラです。個々人の消費のレベルだけでは不十分で、グレタたちがやっているような運動のように、大きな社会問題として、システム・チェンジを求めていくべきです。

佐藤 そういった活動の周辺で注意しなければいけないのは、彼らを利用してビジネスをしようとする人が必ず出てくることですね。反原発運動の背後にメジャー（国際石油資本）がいたっていうのは公知の事実ですから。

斎藤 おっしゃる通り、運動には常にジレンマがありますよね。マルクス主義哲学者スラヴォイ・ジジェクが「権力を取ることのジレンマ」という言い方をしています。外野から批判しているだけでは社会は変わらないけれども、実際に権力を得て権力の中に入っていくと、それが新しい体制の始まりになってしまう。その結果、最初持っていた運動のポテンシャル、革命性が失われ、保守化してしまう、と。

　ただ現時点の日本の意識では、それを心配する次元にもないという状況です。そういった不安が出てくるようなところまで、まずは運動を広めたいですし、今回の本も、そのエンパワーメントになることができればと考えています。

佐藤　権力の本質は暴力です。私はソ連崩壊の過程を見て、暴力を伴う形での体制変動が、個々の人々にどれだけの悲しみや苦痛をもたらすかを皮膚感覚で知ることになりました。だから反革命派なんです。

　でも斎藤さんはこういった形で、日本の既存の論壇やヘゲモニー（支配集団による知的、道徳的、政治的な指導権）とは一線を画したところで、真剣に世の中を良くしようと真っ直ぐに考えられている。その生真面目さと優しさから、いずれ斎藤さんにしか提唱できない世界観が出てくるだろうと期待しています。

（対談収録　2020年9月29日）

人類の持つ最大のコモン（公共財産）は、
地球環境です
——斎藤

required reading

『人新世の「資本論」』 集英社新書／2020年9月

ドイツ人化学者パウル・クルッツェンとアメリカ人生態学者ユージン・ストーマーが2000年代に提唱した、「人類の時代」という意味の新しい時代区分である人新世。際限なく経済成長を優先する資本主義により、あらゆる環境破壊が起きているこの人新世で、人類はこれまでに経験したことのない気候変動の危機に直面している。この危機を回避する解決策のヒントは、晩期マルクスの思想の中に眠っていた。

あらゆるものを商品化してきた新自由主義の価値観を問い直し、共有財産〈コモン〉の領域を増やしていく「脱成長型」の新しい価値観を提案する。新書大賞2021受賞。

第5章

東畑開人

——「こころ」をなくしかけた時代に必要なもの

東畑開人

とうはた・かいと

臨床心理士・公認心理師・博士(教育学)。1983年生まれ、東京都出身。白金高輪カウンセリングルーム主宰。主な著書に『居るのはつらいよ――ケアとセラピーについての覚書』『心はどこへ消えた?』『なんでも見つかる夜に、こころだけが見つからない』など。

「心」という言葉は、近代以降に生まれた概念 ──東畑

佐藤　東畑さんの『居るのはつらいよ──ケアとセラピーについての覚書』や『心はどこへ消えた？』をとても興味深く読みながら、今の日本ではつくづく「心」の概念が消えつつあるという思いを深くしました。医学界に限らず、メディアでもそうですよね。代わりにその場所を占めているのが「脳」。私はここに非常に抵抗感を持っています。旧ソビエト連邦の精神療法はまさに「脳」主体でした。脳を外科的にちょっといじれば、それで悩みはすべて解決するというような。

東畑 今、使われている「心」という言葉は、「個人」と共に近代以降に生まれた概念だと思うんです。だからソ連やかつての中国など個人が制約されている社会では、心理療法が発展しないイメージがありますね。でも心理療法がないとすると、そういった社会では、個々人の悩みはどのように対処されていたんでしょうか。

佐藤 ソ連の場合はオカルト分野、特に占星術が担っていました。それも公には禁じられていたけれど。

東畑 そうでしたか。脳科学にしても占星術にしても問題を外側に見出していくアプローチで、自分の内側に見出していく心理学的なアプローチとは真逆ですね。僕は臨床心理士なのでやはり「心」を大事にしたいのですが、佐藤さんご自身は、精神分析や心理療法のアプローチにどのような印象をお持ちですか？

佐藤 非常に重要だと思っています。悩みがある人はもちろん、自分は絶対に正しいと思っている人にも必要でしょう。特に他者や世界がおかしいように見えている場合は、むしろ自分の心のありようを見つめ直す機会があったほうがいい。もちろん外在的要因が心に作用するということもありえるけれど、どのような問題に対処するにしても、究極的には心の自律性が問われます。

東畑　ただ、アンビヴァレントな思いもあります。臨床の現場にいると、実際には外的な問題も多いので。例えば河合隼雄先生らが活躍した1990年代は、言ってみれば「私だけの心」について考えられるだけの緩さや豊かさがあった。けれど社会情勢が非常に厳しくなる中で、心のプレゼンスが薄らいでいかざるをえなかった部分はありますよね。

佐藤　わかります。小中学校の道徳の時間に『心のノート』なんて書かせることができたのは、社会に余裕があったからですよ。「家にお金がなくて、もう何日も何も食べていない」とか、「毎日親に殴られている」とか書かれたら、道徳や心理学だけでは解決できない。

東畑　ですよね。だからこの厳しい現代において「心を大事にしましょう」と声高に言うことに無力感を感じてしまうところもあって……。内面の問題に向き合う前に、まず環境を改善することが大事だよなという場面は、やはり多いですから。

佐藤 臨床の現場では様々な要因の絡んだ個別的な問題を扱われますし、一方で社会の共通価値観もありますから、そこの境界線をどう引くかは難しいのだろうなと推察します。

緩和ケアの先をケアできるかどうかで、患者との距離感が違ってくる――佐藤

佐藤 神学部を出て牧師になる人も、臨床牧会学（ぼっかいがく）という臨床心理の訓練を受け

ます。カウンセリングの基本的な技術に近いものだと思うんですが、同志社大学の神学科で演習しているのはホスピスケアでした。回復がのぞめない終末期の患者さんのもとへ行き、「あなたのために祈ります」と言って「帰れ」と追い返される。そういった経験を何度もして、牧師になっていく。

東畑　心理的苦悩のケアというよりは、魂のお世話のようなイメージでしょうか。

佐藤　そうですね。ドイツ語の Seelsorge、魂への配慮という意味の言葉を「牧会」と訳しています。

東畑　僕はカトリックなのですが、臨床心理学の最大の弱みを考えたとき、やはり死生観の問題があるのかなと。東日本大震災のあと、東北大学を中心に臨床宗教師という資格が作られました。宗派を問わずに様々な宗教者の方がその認定を受けて、今も災害トラウマなどを持った方々の話を聞く活動をされています。各宗派の教義を前面に出さないことを基本として。

ただ、どの宗派でも教義には死生観が含まれていますよね。僕は、そういうものを出していったほうがいいのではとも思うんです。

佐藤 たしかに。末期がんの人たちを相手に自由診療を行っているがん専門医は結構多いのですが、一部の人たちは得度（とくど）（僧侶となるための儀式を受けること）をしていますね。

緩和ケアの先にある、死後。そこをケアできるかどうかで患者との距離感が違ってくる。そうなってくると医療法人なのか宗教法人なのか、半分わからないなと思いますが。

東畑 医療と宗教ってもともと混然一体としたところにあったもので、それが最後に死を思うとき、同じところに来るんだろうなという気はします。

何も信じていないと思っている人も、本当は何かを信じている ──佐藤

佐藤　今のお話から、東畑さんが最初に書かれた『野の医者は笑う──心の治療とは何か？』に出てくる野巫（ヤブー）を思い出しました。

東畑　沖縄のスピリチュアルヒーラーやユタを取材した本ですね。

佐藤　沖縄ではかつて、いわゆるシャーマン、宮廷付きではない医者のことを野巫と呼んでいた。私の母親ぐらいまでの世代は、実際に野巫にかかった経験があるんですよ。小児まひになったときにカミソリを使って瀉血（しゃけつ）した痕がずっと残っていました。近代的な医療が発達する前はごく普通

の行為だったんですよね。

東畑 瀉血療法はかつて西洋でもさかんに行われていましたし、僕も一度、背中から血を抜いてもらったことがあります。現代では医学的根拠はないとされているけれど、なんだか元気が出ましたよ。

病って医学的には身体の問題ですが、とりわけ慢性疾患になると、病んだ状態が生と一体化してきます。そうなってくると、野巫のような行為が一概に役に立たないとは言えないんじゃないかと思います。

佐藤 今も自由診療の一部は野巫的なところありますよね。サプリメント外来とか。1回3万円のビタミン注射など首を傾げるものもあるけれど、調子が良くなったと感じる人が相当数いるから、繁盛しているわけですよね。

東畑 そう思うと「信じること」の意味を考えさせられます。「信じること」は今、非常に難しくなっていますよね。特に現代の日本社会では。1990年代にオウム真理教の起こした数々の凶悪事件や、遡れば1960年代の学生運動もそうかもしれないけど、何かを盲目的に信じた結果、破壊的なことにつながったという歴史的なトラウマもありますから。

佐藤　本当は誰だって何かを信じているのにね。ロシア宗教哲学者のニコライ・ベルジャーエフ曰く「無神論は存在しない、神がいないということを信じているだけだ。唯物論も存在しない、物質を信じているだけだ。信じるという行為は人間から除去できない」。実際、自分では何も信じていないと思っている人だって、カネや学歴を信じています。

東畑　そうすると、自分が何を信じるかが大事になってくるのでしょうか。サイコセラピーの目的って最終的に何だろうと考えたとき、人間を信じることができるか、だと思うんです。神ではなく。それは「他者を信じること」でもあり、同時に「自分というものを信じることができるか」という問題でもあります。

厳しい時代だからこそ、誰でも気楽に相談し合えるような場がもっと増えていくといい——東畑

東畑 ただ、自尊心や自己肯定感って非常に壊れやすいものです。だからこそ、それを自分だけで培い、守っていくことは難しい。やはり誰かから、あるいは社会から大事にされなければ維持しえないものだとも思うんですよね。

佐藤 それはそうだと思います。知り合いに、きちんとした臨床牧会学の訓練を受けていないのに、すごく評判のいい牧師がいるんです。いい加減な

んですよ。どんな相談を受けても、肯定して後押しすることしか言わない。彼にあるとき「適当なことばかり言って、本当は何も考えてないいんじゃないか？」と聞いてみたんです。そうしたら「みんな相談に来た時点で自分の方向性はだいたい決まっているんだ。背中を押してほしくて来るんだよ。本当に決められないときは専門家を紹介するし、犯罪に関わることはもちろん止めるけど」と言っていました。身も蓋もないとは思いましたけどね。

東畑　いい牧師さんだなと思います。受け止めてもらえた感じとか、わかってもらえた感じ、ほとんどの心の健康って、そういうものに支えられている気がするんですよね。

僕らは専門的な技術を持ってやっていますけど、根本的には人生相談に近い側面もあります。実際に患者さんの話を聞いていて、この方が同じコミュニティの身近な人に相談できたらどれだけ楽になるかと思うことも多いんですよね。厳しい時代だからこそ、誰でも気楽に相談し合えるような場がもっと増えていくといいのですが。

佐藤　私が『週刊ＳＰＡ！』で連載している人生相談（『佐藤優のインテリジェンス人生相談』）にも、やはり毎回ものすごい数の相談が来ます。日常的な問題から、個人での解決が難しい問題まで。できるだけ具体的な対処策を答えるようにしているけれど、数回に一度は「良き臨床心理士とペアになっている精神科医のところに行くといいでしょう」と投げてしまいますね。やはり妄想だとかそういった方面の問題は、専門家にお任せしないといけない。

東畑　佐藤さんがされているような人生相談ってこれからますます重要になると思います。僕もいつか紙面でやりたいなあと思っていて。お声がかかるのを待っています（笑）。

（対談収録　２０２２年５月22日）

受け止めてもらえた感じ、
わかってもらえた感じ……
ほとんどの心の健康って、
そういうものに支えられている

──東畑

required reading

『野の医者は笑う——心の治療とは何か?』 誠信書房／2015年8月

精神科をやめた若き臨床心理士は、ふとしたきっかけから、沖縄で人々の心を癒やし続ける謎のヒーラー、野の医者たちの世界に触れる。やがて「心が病むとはどういうことか」「心の治療とは何か」を問うために彼女・彼らの話を聞き、実際に自分も治療を受けながらのフィールドワークを開始するが……。次から次へと現れる不思議な治療、そして自分の人生に訪れる危機！ 武器はユーモアと医療人類学。冒険の果てに見出された心の治療の本性とは？ 涙と笑いの「アカデコミカル・ノンフィクション」。

2023年9月、文庫版あとがき「8年後の答え合わせ、あるいは効果研究」を付した完全決定版が文春文庫より刊行。

『居るのはつらいよ——ケアとセラピーについての覚書』 医学書院／2019年2月

心理学の博士号を取った主人公は、難航した職探しの末にようやく沖縄のデイケア施設に就職した。出勤初日、上司からいきなり「トンちゃん」と名付けられ、さらにこう言われた。「とりあえず座っといて」

カウンセリングをするためにやってきたのに、と戸惑いつつ、そのまま時間が過ぎていく……。この「ただ、いる、だけ」の経験が、トンちゃんの（比喩ではなく）血を吐くほど苛烈な探求の旅の始まりだった──。

一般社会で居づらい人たちのためのアジール（避難所）が、なぜアサイラム（収容所）に転化するのか？ ケアという行いに内在した構造的な原因があるのか？

そして、いったい何がケアを損なうのか？

著者の4年間の実体験をもとに軽快なタッチで綴られる、ケアとセラピーの違いについて考え抜かれた「スペクタクル学術書」！

2020年に第19回大佛次郎論壇賞受賞、紀伊國屋じんぶん大賞をW受賞。


『心はどこへ消えた？』 文藝春秋／2021年9月

「おかしい。心が見つからない。心はどこへ消えた？」（序文より）
『週刊文春』で2020年5月から翌4月にかけて連載されたエッセイ「心はつらいよ」を書籍化。コロナ禍における心の考察は、やがて20年以上にわたって続いている「心不在」の問題を浮き彫りにした。
心が閉じ込められた時代には、自分を本当の意味でたいせつにするために誰もが自分だけの物語を持っている。命がけの社交、過酷な自覚がない働き方、綺麗すぎる部屋、自撮り写真、子どもの段ボール国家、巧妙な仮病……。臨床の現場におけるクライアントのエピソードをもとに創作された相談例と、寄り添うカウンセリングの軌跡がつづられた、カラフルな小さな物語41篇。

第6章

磯野真穂

――偶然性を味方につけよう

磯野真穂

いその・まほ

人類学者。長野県出身。早稲田大学人間科学部スポーツ科学科卒。オレゴン州立大学応用人類学修士課程修了後、早稲田大学にて博士（文学）取得。その後、早稲田大学文化構想学部助教、国際医療福祉大学大学院准教授を経て2020年より独立。著書に『ダイエット幻想――やせること、愛されること』『他者と生きる――リスク・病い・死をめぐる人類学』など。

人間が数値化されることに違和感を覚えるようになった ――磯野

佐藤　磯野さんのご専門の医療人類学はこの先さらに注目されるであろう分野だと思います。でも研究している方はまだ少ないですね。磯野さんはどういったきっかけで関心を持たれたんですか？

磯野　もともとスポーツトレーナーになりたくて、早稲田大学で運動生理学を専攻していました。自分も昔から身体を動かすことが好きだったこともあり楽しく学んでいたんですが、運動生理学って人間をどんどん数値化していくんです。もちろんそれによって受ける恩恵は大きいのだけれど、自分がやりたいこととして考えたとき、次第に違和感を覚えるようになっていきました。

そんなもやもやした気持ちを抱えたままアメリカの大学に渡り、たまたま潜った文化人類学の授業に衝撃を受けたんです。すぐに教授の研究室に質問に行って、3日後に専攻を変更して。その際に研究テーマとして、運動生理学と接点のある摂食障害を選んだのがスタートでした。

佐藤 ご本を読んでいて、世代的に価値相対主義の影響が強いはずなのに、価値相対主義的じゃないところが素晴らしいなと思ったんです。磯野さんの中には、自分が正しいと信じる価値観がある。イギリスやロシアでも一流の人類学者はみんなそうなんですよね。行間から正義感がにじみ出ている。これは強みだと思います。

磯野 そこまで読んでいただけるなんて嬉しいです。

佐藤 そしてどの本にも、医療従事者に対する敬意と愛情を感じました。

磯野 そうですね。医療の現場では制度の軋（きし）みや歪（ゆが）みの中でがんばっている方がとても多くて。でも発信する時間も場もないから、現場の声って聞こえてこないんです。なら自分が伝える役割を担おうと思って書いたのが『医療者が語る答えなき世界——「いのちの守り人」の人類学』でした。

佐藤　それから宮野真生子さんとの共著『急に具合が悪くなる』と、勅使川原真衣さんの『「能力」の生きづらさをほぐす』では、著者に伴走してその伴走の痕跡をきちんと残る形で作品にする、という新しい方法論を取られている。これも素晴らしいですね。もし磯野さんが生前の米原万里さんと知り合えていれば、きっといい作品になっただろうと思いました。

磯野　そう言っていただけると励みになります。伴走という言葉は、その渦中にいるときは全く思い浮かばなかったのですが、前者に関しては宮野さんからその言葉が出て、後者に関しては振り返ったとき「伴走者」という言葉が浮かびました。人類学者の営みを考えると、この2冊こそが最も人類学者らしい軌跡と言えるのかもしれません。

努力重視は自己責任論の延長
うまくいかなかったら
ますます沈んでしまう
――佐藤

佐藤　でも、どの本も自分が書きたいことを全部は書きされていないでしょう？　書かれた言葉は大きな氷山の一角でしかない。

磯野　そうだと思います。

佐藤　それは本の書き方として正しいんです。だからこそ余韻に説得力が生まれる。ところが今の本は、割り箸の先に氷をつけて水の上に浮かべるような作りがとても多いんです。パッと見は同じに見えても、基盤がないから周辺の問題には全く対応できません。

磯野　今、流行りの「リスキリング」もまさにそういった感覚ですね。基盤となる実績を積むことはないがしろにして、転職に有利だからと、表に見えるスキルだけをオプションのように選んでくっつけていくような。

佐藤　リスキリング（Reskilling）の元の意味は職業能力の再開発、再教育。本来は、企業のＤＸ（デジタルトランスフォーメーション）戦略において必要となる業務・職種に順応できるよう、従業員がスキルや知識を再習得するという意味で使われていた。これはおもに企業が優秀な社員の退職を防ぐ目的もありました。それがいつの間にか「個人のスキルを伸ばす」という、全く異なる概念に変わってしまった。

磯野　「子育て中のリスキリングを推奨する」とか、言葉としておかしいですよね。

佐藤　とんでもないですよ。しかもその感覚は自己責任論の延長線上です。個人で努力してスキルを伸ばして、価値を上げていこうという。その中で勝ち抜ける人はいいけれど、うまくいかなかったら自信をなくして、ますます沈んでしまう。

磯野 私は2020年の一時期ハローワークに通っていたんですけど、朝8時半の開所前からずらっと人が並ぶんです。コロナ禍の最中でしたから、密を避けるために待機椅子の数も減っていて、順番待ちのあいだに座ることもできない。でもメディアはそういう失業者の姿を報道しませんでした。「弱者を守れ」という学者たちの言葉も、いったいどこに向けられた発言なんだろう……などと思いながら並んでいたのをよく憶えています。

佐藤 国会議員にしても官僚にしても、成功は自分の努力によるものだと思い込んでいる。だから、社会の構造がどれだけ悲惨な状況であっても直視することなく、個人でがんばればどうにかなると思っているんです。

人生のいろんな局面で「たまたま」を入れ込めるかどうか　──磯野

磯野　佐藤さんは以前、どなたかとの対談で「賞を取ったのはたまたまだと思う」とおっしゃっていました。人生のいろんな局面だとか、自分や他人を見るとき、そういうふうに「たまたま」を入れ込めるかどうかって、ものすごく重要だと思っているんです。

佐藤　必要だと思いますよ。昨今は小学校受験でも、東京学芸大附属やお茶の水女子大学附属あたりは最後くじ引きで合否が決まりますしね。

磯野　いいですね、それはもう不合格でも諦めがつくというか。でも今の社会って一般的には、そういう偶然の要素やくじ引きの要素を、むしろ減らす方向に加速しているじゃないですか。運動生理学も医療もそうですけど、エビデンスやデータばかり最重視されて。それこそ、全部数値化されていくような。

佐藤 するとどうなるか。例えばアメリカの経済学者のヘックマンは、幼児教育の経済学で「0歳から3歳までの教育投資が、安定した人生を送る上でもっとも合理的だ」と唱えている。この感覚がエスカレートすると、子どもを株と同じような投資対象として見るようになります。

磯野 危険ですね。以前、人の身体に関する比喩表現の変遷を調べたことがあります。面白かったのは、例えば昭和の時代は、がんばるときに「ガソリンを入れる」、励ますときに「油をさす」というふうに自動車関連のイメージで、今はそれがITになっているんです。「メンテナンス」とか、「アップデートする」とか。怖いのは、比喩だと思っていても、その比喩が還流してきて人間の身体の捉え方そのもの、ひいては感じ方まで変わってしまうところがあると思って。だから子どもを投資対象、株みたいに捉えるっていうのは、かなり怖いことですね。

立派な建前が増えれば増えるほど裏の世界で闇が深くなる　──佐藤

佐藤　すでにその雰囲気がよく出ている風潮があります。『週刊ビッグコミックスピリッツ』で連載している『二月の勝者』という中学受験の漫画をご存知ですか。塾講師が主人公の。

磯野　いいえ。というか佐藤さん、どうしてそんなにいろいろ読まれているんですか（笑）。

佐藤　お母さん方とも話をするから必然的に。この『二月の勝者』には印象的な名言がいくつかあるんです。例えば「中学受験の勝利の秘訣は父親の経済力と母親の狂気」だとか。「中学受験は課金ゲームだ」とか。「塾の科目に道徳はありません」とかね。そしてこれが、現実のお受験マニュアルとして300万部以上も売れているんですよ。なかなか凄まじい現象ですよね。

磯野　ディストピアですね……。他方で、インクルーシブ（包括性）とかダイバーシティ（多様性）みたいな言葉がこれほど使われる社会ってなかったと思うんです。みんなに優しく、個性をたいせつに、誰も排除せず……って、少なくとも私が生きてきた中では、一番寛容なキーワードの多い時代になってきているというか。

佐藤　仏教的に言うと、ダイバーシティやインクルーシブは顕教、表の世界なんですよね。対する『二月の勝者』は裏の密教。顕教のほうで立派な建前が増えれば増えるほど裏の世界、すなわち闇も深くなるのは必然なんでしょう。

磯野　佐藤さんは『二月の勝者』を読んでいるお母さんたちに対して、なんてお声掛けするんですか。

佐藤　「勉強すること自体には意味があるけれど勉強嫌いになったらいけない」とか。「埼玉に引っ越して県立浦和高校から希望の大学を受験したほうが費用はかからない」とか。「二月に勝者になったところで大した大人になりません」とか。ケースバイケースですね。

磯野　勉強になります（笑）、読んでみます。

不遇な状況下でも続いた人間関係は何より貴重——佐藤

磯野　今日のお話で改めて思いましたが、仕事でも子育てでも、みんな自分ががんばったと思いたい。でもその考え方って、うまくいかなかった人は努力や能力が足りなかったんじゃないか、性格や行動に問題があったんじゃないかといった、個人還元主義的な発想につながりやすいんですよね。だからこそ偶然の要素を意識して、自分にも他人にも理由付けしないようにすることが大事なのかなと思いました。それに人生が面白いほうに動くときって、自分の力で動いてないと思うんです。私が人類学を始めたきっかけもたまたまですし。

佐藤　出来事の幸不幸もわからないですからね。もし私が檻の中に入ることなく外務省を定年退職し、大宅壮一ノンフィクション賞をもらった『自壊する帝国』と全く同じ原稿を整えても、どの出版社も相手にしてくれないですよ。数百万持ち出しの自費出版ならできたかもしれないけど。

それに不遇と言われる状況下でこそ続いた人間関係は何より貴重です。仕事相手でも、友人も、当時恋人だった今の奥さんもそう。

磯野　なんていいお話。私も全く同じです。

佐藤　だから良くも悪くも自分で何もかもコントロールできるなんて考えず、偶然性を大事に、くじ引き感覚を楽しんだほうがいいんでしょうね。

（対談収録　2023年2月8日）

人生が面白いほうに動くときって、
自分の力で動いてない

——磯野

required reading

『医療者が語る答えなき世界――「いのちの守り人」の人類学』
ちくま新書／2017年6月

終末期医療に疑問を感じる看護師とケースワーカー、手術室のルールを不思議に思うベテラン看護師、科学と伝統医療の関係を模索する漢方医、待ち望まれた新薬の意義を考える循環器医、「治らない」現場で試行錯誤する理学療法士、「自宅」の意味を問うソーシャルワーカー、リハビリ職の「幻想」を危惧する言語聴覚士……。不確実性と葛藤の少なくはない医療現場のリアルを、医療者や患者、家族へのインタビューをもとに紹介。答えなき世界で、自分なら何を選ぶのかを考えさせられる。

『急に具合が悪くなる』 晶文社／2019年9月
※宮野真生子さんとの共著

がん闘病生活ののちに42歳で逝去した哲学者、宮野真生子さん。宮野さんは『「いき」の構造』『偶然性の問題』などで知られる九鬼周造（くき）を出発点に、家族や恋愛、性など広く発展させた研究を行っていた。乳がんの転移を経験しながら研究を続けていた宮野さんは、ある日医師に「急に具合が悪くなるかもしれない」と宣告された。ちょうどその頃、たまたま出会った文化人類学者と意気投合する――。

哲学者と人類学者、同世代の二人が20年の学問キャリアと互いの人生を賭して交わした、20通の往復書簡。

『「能力」の生きづらさをほぐす』 どく社／2023年3月
著者 勅使川原真衣 執筆伴走 磯野真穂

「行きすぎた能力社会じゃ、幼い子どもを残して死にきれない！」

組織開発の専門家である著者が、がん闘病をきっかけに「生きる力」「コミュ力」「リーダーシップ」「美意識」といった能力主義に対して抱いた違和感の構造を分析し、「たとえ自分が死んでしまっても、子どもたちに伝わるように」と書き下ろした一冊。磯野氏は1年半にわたり構想、執筆、版元探しなど、出版にいたるまでの「伴走」を行い、「伴走者」としての言葉を寄せている。

第7章

藤原辰史

――画一化する社会に潜む問題点

藤原辰史

ふじはら・たつし

京都大学人文科学研究所准教授。1976年生まれ、島根県出身。専門は農業史、食の思想史。主な著作に『ナチスのキッチン――「食べること」の環境史』『給食の歴史』『食べるとはどういうことか――世界の見方が変わる三つの質問』『分解の哲学――腐敗と発酵をめぐる思考』『縁食論――孤食と共食のあいだ』『農の原理の史的研究――「農学栄えて農業亡ぶ」再考』など。

ロシアの「クワス」（発酵飲料）は、愛国主義の象徴だった ――佐藤

佐藤　私が同志社大学に入学した1979年、学内全体を巻き込んだ発酵論争がありました。生協の学食が納豆を置き始めたことに対し、関西出身の学生が猛反発をしてね。「腐敗物を置くな！」「臭い」「除去しろ」と。最終的には「ダイエットにいいのだ」という女子学生の意見が圧倒的に多く、そのまま置くことになったんですが。

藤原　私は昔から納豆大好き人間ですが、地元の島根でもそんなに食べないですね。

佐藤　藤原さんはなぜ発酵に興味を持たれたんですか？

藤原　子どもの頃から「食べる」ということを含めて食全般に興味がありました。中でも発酵食品がなぜか好きだったんですが、農業史の研究のためにドイツに行き始めてさらに発酵の文化に興味が高まったのを覚えています。ドイツって、ザワークラウトを始め、パンやワインやビールの味も、地域によって全然違いますよね。そんな日本とは異なる発酵食品と日常的に出合うようになって、その奥深さにどんどん惹かれていきました。

佐藤　ロシアにはクワス（квас）という、ロシア語でそのまま「発酵」という名の飲み物があるんですよ。黒パンを水に入れ、さらにイースト菌を加えて発酵させて作る微炭酸飲料。このクワスは愛国主義の象徴みたいな面もあって、「我々にはクワスがあるから、アメリカ帝国主義の飲み物であるコカ・コーラは必要ない」と言って、ソ連崩壊の直前までコカ・コーラを輸入しませんでした（ペプシ・コーラはあった）。

藤原　飲んでみたい。甘みがあるんですね。

佐藤　少し甘いです。クワスを使ったアクローシュカという冷製スープもあって、モスクワに行くと食べたくなります。日本で見かけないのはやっぱり匂いのせいなのかな。発酵食品の匂いは独特ですよね。しかも同じ国でも納豆論争が起きるくらいで、人によって評価が大きく異なる。同じ食べ物でも旨そうな匂いと思う人もいれば、嫌な匂いと思う人もいる。ロシア料理ならばだいたい食べる鈴木宗男さんも、クワスはダメでしたね。「トイレの匂いがする……」と言って。

発酵食品は僕らの体内の延長線上にある——藤原

藤原　そんな賛否両論の匂いも発酵食品の魅力の一つだと思います。以前、発酵学者の小泉武夫さんとの対談で「発酵食品の香りは体臭に近い」という話になりました。それを聞いて、だから若干の不快感を覚えてもどこかで好ましさを感じるのか、と腑に落ちました。

ロブ・ダンの『家は生態系——あなたは20万種の生き物と暮らしている』によると、無菌状態であるはずの宇宙ステーションにも人間由来の菌が住み着いていて、リンゴの腐った匂いがするそうです。つまり発酵

佐藤　食品って、僕らの体内の延長線上にあるものだと言えるんですよね。生態系として考えるととても面白いし、愛しいなあと。

藤原　発酵食品は世界中にありながら、そのバリエーションが非常に豊かなところも面白いですよね。

佐藤　菌の繁殖のしやすさは気候や風土によって変わってきますから、本当に生活と密着していますね。

藤原　藤原さんの『分解の哲学──腐敗と発酵をめぐる思考』を読んだときに、ウンベルト・エーコの『永遠のファシズム』を連想しました。「あいつはトカゲなんかを食う、野蛮だ、自分たちは食べないのに……」というように、食文化の違いで相手を排除しようとすることが、ファシズムの原型だという。

私も読みました。差別の原型でもありますよね。ナチズムの当時の新聞雑誌を読むと、ユダヤ人やスラブ人の食文化をおとしめる記述が少なくありません。

佐藤 何かを一緒に食べるという行為には、宗教的儀式の側面もあります。アメリカ人はバーベキュー好きでしょう。中央アジアや中東では、シャシュリークというけれども、みんなで肉を焼いて食べる。あれは煙を神様にささげて一緒に食べているんですよ。その場にいる人だけでなく、神様とも縁をつける。

藤原 そうか、煙が立ち上っていくことで神様も喜んでいるんですね。面白いなあ。

「食」は生活から切り離すことができない生命の根源に関わるもの ——藤原

佐藤 宗派によって違いはありますが、神学においては、キリストの肉であり血であるパンとぶどう酒を共に食べる行為にも大きな意味があります。そんなことを思いながら、「共に食べること」を論じられた『縁食論──孤食と共食のあいだ』もとても面白く読ませてもらいました。

藤原 ありがとうございます。よかった。今日は公開でダメ出しをされたらどうしようと思いながら来たので（笑）。

佐藤 いやいやまさか。農や食の専門的な分野にとどまらず、現代が抱える問題点を考える上で非常に重要な本だと思いました。『縁食論』で取り上げられているこども食堂も、今とても大切なテーマですね。

藤原 私の研究の核の一つに、第一次大戦期ドイツの飢餓があります。30万人以上の子どもの餓死者を出した為政者に対する親たちの不信と負のエネルギーが、のちのドイツ革命につながっていきました。その様子を観察していて、第二次大戦後にGHQに給食の普及を勧めたのがフーヴァー元大統領ですよね。

こども食堂は上からの制度ではなく、いわば湧いてきたような自発的なアソシエーションですけど、今5000（当時）かな、児童館の数より増えているというのは現代史の文脈としても面白い動きだと感じています。

いくら文明が発達しようとも、「食」は生活から切り離すことができない。生命の根源に関わるものです。生命維持のためにただ栄養素を摂取すればいいというものではないと思うんですよね。

佐藤 人口も出生率も税収も上がっている兵庫県明石市の泉房穂市長（当時）の活動基盤は、全小学校区にあるこども食堂なんですよ。もともとご兄弟に障害があったというところから福祉活動に非常に力を入れていて、資金支援だけでなく、市の職員もボランティアで参加させている。そうすることでボランティアのハードルをさげて、また困窮家庭の子どもに貧困のスティグマを与えないよう配慮もしています。

藤原 泉市長の活動からは目が離せません。私の『給食の歴史』という本を読んでくださった少年院の関係者から聞いたのですが、明石市は刑務所や少年院を出所した人の再生支援として、彼ら・彼女らを雇用する事業主に優遇措置の制度を設けているんだそうです。

佐藤　そういった取り組みに地域住民も賛成しているのがすごいですよね。市議会の全党派に反対されて、家に石を投げられるような嫌がらせを受けても公共事業を減らして福祉に資金を回し、結果として住民から大変な信頼を得て当選を続けている。行政に対する信頼度が違う。

食の問題は誰にでも身近な分、差別にも結びつきやすい ――佐藤

佐藤　更生支援というと、お好み焼き屋をチェーン展開している「千房（ちぼう）」の中井政嗣会長も、前科前歴のある人の雇用を積極的に推進していますね。

藤原　そうなんですか。千房のお好み焼き屋さんは京都でもよく見ますけれど、そういった活動をされているとは知りませんでした。

佐藤　塀の中で面接をし、身元引受人にもなった採用第1号の人にお金を持ち逃げされてしまうという苦い経験を経てなお、支援雇用を続けています。なぜかというと、更生して真面目に働く人を支援したいという気持ちはもちろん、もう一つ、企業としての利点もあるのだとか。

藤原　どういうことですか？

佐藤　嘘をついたり、すぐに来なくなったりしてしまうような、いわゆるトラブルメーカーとなる人もいる。それが管理職の人間力を桁違いに鍛えるんだそうです。人材管理能力はもちろん、日常的なトラブルにも動じなくなる。トータルで千房という会社が強くなる、と。

要するに、雇用支援の社会的な意義と会社の利益が、連立方程式になっているんですよね。それを聞いて、人間という動物の機微に触れているなと思ったんですよ。

藤原　連立方程式って興味深い言葉ですね。私が『縁食論』で一番言いたかったところも連立方程式的、いやもっと言えば多元方程式なんです。

　現代社会は、ある企画の効果を考えるとき、変数ないし解を一個に絞る社会になっています。一対一対応のモデルが多すぎるんです。でも食に関する問題は本来的には変数が多く、効果も多様なので、こども食堂の効果といっても幅広いものでしょう。経済効果とか少子化対策とか大きな目的だけでなく、例えば互いに網目状につながったり、将来つながる可能性のある小さな目的をわんさか組み込んだ政策を立案していく。それが結果的に、誰もが息をしやすい社会につながっていくと思うんです。

佐藤　泉市長にしても中井会長にしても、常識とされているところからちょっとズレた論理を組み立てられる人が、社会の包括度を強くするんでしょょうね。

しかし今は特にコロナによってグローバリゼーションに歯止めがかかり、文化的な拘束性がより強まっています。同時に格差が急速に拡大している。国家間格差、地域間格差、階級間格差、ジェンダー間格差……。そして食の問題は誰にでも身近な分、差別と結びつきやすい構造にあることは、気をつけておきたいですね。

（対談収録　2021年6月11日）

「食」は変数が多く効果も多様
誰もが息をしやすい社会は
多元方程式の考え方で
——藤原

required reading

『給食の歴史』 岩波新書／2018年11月

学校給食は、子どもの味覚に対する権力行使と言える側面と、未来へ命をつなぎ新しい教育を模索する側面、この明暗二面が交錯する魅力的な「舞台」である——。

日本の学校給食は、貧困と災害から子どもたちを救うことを目的に始まった。やがて戦争の足音が近づくと富国強兵の一環としての見方が強くなり、第二次大戦後にはアメリカの食文化輸出の影響が色濃くなっていく。先行する諸国の給食の歴史にも触れながら、様々な思惑が交錯する日本の学校給食を詳細にたどり、貧困、災害、運動、教育、世界という5つの切り口から検証。現在の問題や、従来の発想にとどまらない食育の可能性についても読み解いていく。

2019年、辻静雄食文化賞受賞。


『分解の哲学——腐敗と発酵をめぐる思考』 青土社／2019年6月

「つくることは、分解すること。」

おもちゃに変身するゴミ、土に還るロボット、葬送されるクジラ、目に見えない微生物……私たちが生きる世界は新品と廃棄物、生産と消費、そして、自然界の多様な生物がになう、生と死のあわいにある豊かさに満ち溢れている。掃除のおじさんとの対話、壊れた車を愛するナポリ人や腐敗するロボットが描かれたカレル・チャペックの小説、フレーベルの積み木の哲学などから、原子力、ロボット、清掃まで。雑誌『現代思想』で5年にわたり連載された「分解の哲学」を軸に、歴史学、文学、生態学など様々な側面から腐敗・分解・循環する地球上の営みに真摯な眼差しを向け、腐敗しにくく壊れにくくなっていく世界の問題点と、腐敗しやすく壊れやすい世界について思索を深めた、柔軟で新しい探求の書。

2019年第41回サントリー学芸賞を受賞。

『縁食論――孤食と共食のあいだ』ミシマ社／2020年11月

子ども食堂、炊き出し、町の食堂、居酒屋、縁側……。オフィシャルでも、プライベートでもない、その場のめぐりあわせでゆるやかにつながる「縁食」の場こそ、今の時代に必要なのではないか。望まずして一人きりで食べる「孤食」ほど孤独でもなく、家族や友人など深いつながりの共同体を前提とする「共食」ほどの押しつけがましさもない「縁食」の、やさしく豊かな可能性。

世界の公衆食堂の歴史、義務教育でありながら学校給食が無料ではない日本の政治的・社会的な問題点、世界人口の9人に一人が飢餓に苦しんでいる反面、深刻化しているフードロス問題なども踏まえて時代を俯瞰。農業史や食の思想史を専門に研究してきた著者が、新しい食のあり方による誰もが生きやすい未来を模索していく。

第8章

濱野智史

――オタクカルチャーのゆくえ

濱野智史
はまの・さとし

評論家、社会学者。1980年生まれ、千葉県出身。慶應義塾大学大学院政策・メディア研究科修士課程修了。rakumo株式会社シニア・リサーチャー。著書に『前田敦子はキリストを超えた――〈宗教〉としてのAKB48』『アーキテクチャの生態系――情報環境はいかに設計されてきたか』など。

サブカルチャーどころか
ミニカルチャーしか生まれない時代
ネットも強烈なヤラセ社会に　――濱野

濱野　もうだいぶ前から、サブカルチャーどころかミニカルチャーしか生まれない状況になってきていますよね。コミュニケーションの範囲はもう、少数のグループが主流になってきています。若者はTwitter（現・X）もInstagramもやらなくなっていて、基本的にLINEのようなクローズドな空間でしか話さない。消費行動もかなり限定的になっています。

佐藤　権力者にとって非常に統治しやすい状況ですね。小さい塊がバラバラにあっても、威力にはならないから。

濱野 そうですよね。サブカルチャーはかつてカウンターカルチャーとして体制への抵抗勢力にもなりえましたが、今はもう、AKB好きの500万人が集まり、怒濤の投票行動に出るというような動きもなくなっています。

佐藤 となると、ごく一部のエリートがプラットフォームを作り、その中でも生き残る知恵を持った人間にだけ富と情報が集まりますね。

濱野 GAFAはまだギリギリ、それぞれの強みが分離していますが、その気になれば統合して巨大な力を持てる時代が来ています。

ブームの作り方でいえばもう完全にそうなっていて、SNSでバズらせたかったら、ターゲットのコミュニティごとにどのインフルエンサーに投資すればいいかということまで完璧に可視化されています。以前は「マスメディアは人工的にブームを作る一方でネットは何が流行るかわからない」と言われていましたが、今はネットも強烈なヤラセ社会になってきているんですよね。

佐藤　統制も、金儲けもしやすい、と。

濱野　中国は今その最先端国家です。コンテンツも含めて。全国民のデータを持っているし監視も検閲もする。

佐藤　ロシアもそうですよ。国家は普段はそんなに関心を持っていないけれど、目をつけられたら怖い。いかに民間が力を持とうとも、国家には軍事力がありますから。

ガンジャやコカインでキメるか、VRでキメるか――佐藤

濱野 そういえばInstagramを見ていると、不思議とロシアのアカウントがすごく多いんです。これは何か意味があるんでしょうか。

佐藤 暇なんですよ。ソ連時代の社会主義の理想が一つだけ実現していて、それは労働時間の短縮なんです。働く時間が短くなって、自由時間ができたからみんな暇つぶしをしているんでしょう。

濱野 それだけ聞くと良いことに思えますね。日本人は時間に追われながらスキマ時間で無理してインスタ映えとか頑張っているのに。

そういう状況の中で、日本のオタクカルチャーで次に何が流行るかというと、やはりＡＩやＶＲの方向に行きますよね。アイドルやゲーム、アニメというようなオタクカルチャーを好むのは基本的にコミュニケーション能力低めの人間が多いですから、ＡＩやＶＲとの親和性は高い。若者の恋愛離れとか言われていますけど、これは今後さらに発展していくだろうなと。

佐藤 外務省でも、生身の女性は耳垢の匂いがするから同じ空間にいることができない、という男性がいました。

濱野　それはミソジニー極めてますね。でも行き着く先はそういうことだと思います。今の時代、MeToo やLGBTの問題がある種カルチャーやポリティカルの要素を強く帯びるようになっていて、逆に「性」を自分のアイデンティティに組み込めない人が増えている。生物としては歪ですけど、複雑なコミュニケーションを必要とせず、自分を全肯定してくれるバーチャル彼女がいたら、僕もそちらを選ばない自信ありません（笑）。

佐藤　行為としては麻薬でトぶのとだいたい一緒ですよね。ガンジャ（大麻の一種）やコカインでキメるか、VRでキメるか。

濱野　そう思います。人間の欲望って結局「キメたい」なのかも。

政治的な要素を含んだ半ドキュメンタリー番組が増え、虚構と現実が曖昧になってきている

——濱野

濱野 今後、ビジネスとしては老人向けのＶＲサービスとか出てくると思うんです。かつて好きだったアイドルに介護されていると勘違いしながら死んでいくとか。自分がほしいですもん。

佐藤 人口的にも需要が多いでしょうね。ただ、みんながラリっていると資本主義が成り立たなくなっちゃいますから、現実で夢を売るビジネスが出てくるわけで。今だと「こんまり」ですね。『人生がときめく片付けの

濱野　魔法』の近藤麻理恵さん。Netflixでは彼女のドキュメンタリー番組を制作したらしいですね。『KonMari』って。それがアメリカでも大ブームになって。

佐藤　平成を代表する文化の一つではあります。巨大資本と結びつき始めていますし、宗教に近いですよ。片づけて気持ちがスッキリすること自体は、当たり前の話なんだから。

濱野　『KonMari』と同じカテゴリの『クィア・アイ』っていうオリジナル番組もすごいウケてるんですよね。LGBTの5人組がアメリカ南部に行き、視聴者のライフスタイルやファッションを全改造して、かつ存在を全肯定してくれる番組です。非常に政治的というか「アメリカはリベラルです」とアピールするために作っているような番組。そういう半ドキュメンタリーが増え、虚構と現実が曖昧になってきている気配もあります。

佐藤　ロシアだと、政治的なコンテンツはよくユーチューバーがやっています。

でも面白くはない。面白いのはドラマですね。『月の裏側』っていうタイムスリップもので、シーズン1は人気だったけど、続編はディストピアものになってコケた。なぜならプーチン政権下のロシアの現実とあまり変わらないから。

濱野 それは楽しくないですね（笑）。

付き合うなら本物（ホンモノ）がいい 凄みが違うから——佐藤

濱野 そういえば、ここ2、3年、「地球平面説を信じる」っていうテーマが、ユーチューバーを中心にアメリカで大ヒットしているらしくて。そのユー

佐藤　チューバーたちが滔々と語り合うドキュメンタリーを先日見たんですよ。それは半端なドキュメンタリーと全然違って、すごく面白かったです。その手の話だと『人類の月面着陸は無かったろう論』の著者である副島隆彦さんを狙ってみるといいと思う。

濱野　副島先生！　お会いしたことありませんが大好きです（笑）。

佐藤　副島さんは本物です。私も、過去の私の経験や想像の枠組みを超える言論に感激して、２年に１冊は一緒に本を作ることにしているんです。

　濱野さんが書かれた『前田敦子はキリストを超えた――〈宗教〉としてのＡＫＢ48』を読んだときも「本物だ」と思いました。実際にあの本が世に出たことでＡＫＢは制度化されて、変わらざるをえなかったわけですからね。

濱野　ありがとうございます（笑）。たしかに憑依されたように書きました。「地球平面説」を信じる地球平面論者も本物なんですよ。ガチで信じているから、コミュニティを作り、２００万円もするジャイロを買って実証を試みたり、学会を開催したりもする。

佐藤　まあ、私も大学で同じようなことをやっています。私はキリスト教徒ですから、死人が3日後に生き返ったと信じているわけです。信者以外の人からしたら地球平面説と一緒でしょう。ほかにもいろいろあるじゃないですか。謎の惑星「ニビル」とか、よく雑誌の『ムー』で特集しているような。陰謀論でも滅亡論でもいろんな意見が出てくるほうがやっぱり面白いですよ。

濱野　最初の話に戻りますが、今のように小さなグループに分裂してそのコミュニティの中だけで引きこもっていると、安全ではあるけど、いろんな意見に出合う確率は低くなりますよね。刺激も少ないし自分を相対化する機会も減る。それを否定するつもりはないけど、思い切って外に出たほうが、本物の面白い人に出会える確率が増えるし、生きてる喜びも大きくなる気はしますよね。

佐藤　どうせ付き合うなら絶対に本物（ホンモノ）がいいですよ。凄みが違うから。

人からエネルギーをもらうという感覚も、改めて見直されていくかもしれない ——濱野

濱野　でも偉そうに言いながら僕、ＡＫＢについて書いて、自分でもアイドルグループを作って失敗して、そこからこれだ、というものに出会えていないし、何にも興味が持てない状況が続いているんです。

佐藤　濱野さんは独創的な知性があるから、それこそ『こんまり論』なんて書かれたらいかがですか。

濱野　あの手のスピリチュアリズムはたしかに面白いですよね。水晶やパワースポットではなく日常空間すべてにスピリチュアリズムが満ちていると

いう価値観。

佐藤　スピノザっぽいですよね。それと、消費しないことをビジネス化する手法は、プラットフォームビジネスしかないはずなんです。だから「こんまり」と「Netflix」と「地球平面論」とを絡めて書けたら文化論として面白そうだなと、今思いました。

濱野　オタクカルチャーの楽しさって、ファン同士のつながりから生まれる部分も多いです。今日は佐藤さんという本物な方にお会いできて、とても元気をいただきました。VRとは逆ですが、人からエネルギーをもらうという感覚も、改めて見直されていくかもしれませんね。僕もそのうち、地球平面説学会の日本支部で活躍し始めるかもしれません（笑）。

（対談収録　2019年3月29日）

人間の欲望って
結局「キメたい」なのかも
――濱野

required reading

『前田敦子はキリストを超えた――〈宗教〉としてのＡＫＢ48』

ちくま新書／２０１２年12月

ＡＫＢ48の魅力とは何か。なぜ前田敦子はセンターだったのか。なぜファンは彼女たちを推すのか。なぜアンチは彼女たちを憎むのか。そして、いかにして彼女たちの利他性は育まれるのか……。

〈不動のセンター〉と呼ばれた前田敦子の分析、そして握手会・総選挙・劇場公演・じゃんけん大会などＡＫＢ48特有のシステムを読み解くことで、熱狂的に支持される理由と社会的な意義を検証する。総合プロデューサーである秋元康氏からも「面白かった。前田にこの本をあげよう。」と推薦コメントが届いた、情熱の書。

第9章

小林茂雄

――コロナで住環境はどう変わったか

小林茂雄
こばやし・しげお

工学博士、東京都市大学建築都市デザイン学部建築学科教授。1968年生まれ、兵庫県出身。建築や都市の光環境、景観問題、落書きなどを研究。2010年日本建築学会賞(論文)受賞。著書に『街に描く——落書きを消して合法的なアートをつくろう』『写真で見つける光のアート』など。

オープンな場で一緒に過ごすほうが、豊かなコミュニケーションが生まれ良いパフォーマンスにもつながりやすい　──小林

佐藤　小林さんは都市と建物の光環境や景観問題、さらに落書きやストリートアートなど空間にまつわる様々な研究をされています。今回、編集部から「コロナで住環境はどう変わったか」というお題が来ていますが、どんなことを実感されていますか？　私はもともと仕事部屋にこもって原稿を書く日々で、ほぼ変化がないんですよ。

小林　会議や講義がオンラインでできるようになり便利になった一方、リラッ

クスが主目的であるはずの住宅空間で仕事や勉強をする時間が増えましたよね。最近の住宅のつくりはオープンになってきていて、個室を作るよりも広いリビングを軽く区切る使い方が主流になっています。そういった場は、個々の活動には不向きな場合が多い。要はオンライン会議などで声を出しにくいという面があります。結果、今また個室のような独立した環境が求められてきていて、そういった変化を面白い流れだなと思って見ています。

佐藤 たしかに私の自宅も、仕事部屋と家族の空間では照明もレイアウトも全く違います。仕事部屋は作業する机だけは広いのですが、小スペースで本棚に囲まれていて、文字の読みやすい蛍光灯です。リラックスする雰囲気ではありません。

小林 もともと自宅でお仕事をされている方は、きっとそういった使い分けをされている方が多いでしょうね。ただ一般の住宅やオフィスに関しては、オープンスペースであるほうが個人的には良いと思っています。一人ひとりが独立したスペースで好き勝手に振る舞うよりも、オープンな場でお互いを気遣いながら一緒に過ごすほうが豊かなコミュニケーションが生まれ、結果として良いパフォーマンスにつながるのではないかと。

佐藤　よくわかります。

自然光の入らない生活は精神にダメージを与える――佐藤

佐藤　照明に関してはいかがですか。

小林　やはりリモートの影響を受けて大きく変わってきていますね。1日のうちに浴びる光の総量は、人の健康状態に直結します。例えば午前中に太陽光を始めとする強い白色系の光を浴びるとセロトニンの分泌が活性化して活発に過ごしやすくなりますし、夜もリラックスしやすくなります。逆に、ふだん通勤通学や買い物などで太陽光を浴びていた人が急に外に出なくなると、心身のバランスを崩しやすくなる。

佐藤 私も東京拘置所に512日勾留されて、自然光の入らない生活がいかに精神にダメージを与えるか、身をもって理解しました。

小林 昼間の外の明るさはだいたい1万ルクスから10万ルクスですが、屋内は100~200ルクス程度。オフィスだと比較的明るく500ルクスくらいはありますが……。

佐藤 桁が違いますね。

小林 ええ。以前、照明の条件を変えると人の距離や話し方、声の大きさがどう変わるのかという研究をしたのですが、明るいほど言葉数が増え、声も大きくなって活発なディスカッションが行われました。逆に照明を暗くすると、自然と声も小さくなって、比較的プライベート寄りの話をするようになります。

佐藤　占い師の部屋などは暗いですからね。

小林　そういった効果も考えられているのでしょうね。これは短時間の実験ではありましたが、長期にわたって続いた場合、無意識のうちに考え方も変わってくるのではないかと。それともう一つ面白かったのが、東京都市大学建築学科で教えている学生89人のうち32人がオンライン授業期間中に部屋の模様替えをしていて、その中で10人が机を窓の近くに配置したと言っていました。それまではベッドを窓際に置いていたそうです。

佐藤　もっとも長い時間を過ごす場所を、一番明るいところに配置したんですね。

小林　そういったインテリアデザインにも影響は出ているように思います。

佐藤　私は独房で窓のない生活をしていたときは、拘置所内にある観葉植物にずいぶん助けられました。

小林　自粛生活中に観葉植物やペットを迎えた人も多かったようですね。やはり人間は無意識のうちに自然を求めるものなのかもしれません。

LEDが登場して、照明も新しい研究が行われている過渡期ですが、やはり何十万年も太陽の光と火の光で暮らしてきたわけですから、昼間は白色系を、夕方以降は暖色系を中心とした生活に落ち着いていくんじゃないかと思います。

佐藤 なるほど。やはりベースは太陽と火なんですね。

小林 日本はそこまで日照率に差はありませんが、冬季に数時間しか太陽が出ない北欧や北米では、やはり「冬季うつ」になる人が少なくありませんね。

佐藤 モスクワも夏と冬では別世界でした。6月は午前3時には太陽が出て夜23時でもまだ明るい。眩しくて寝不足になります。一方、12月は朝9時でも星空、夕方16時には真っ暗。身体が慣れるまで大変でした。

一つの場所にいろいろなものが混在して、ゆるやかに影響し合う豊かさ　——佐藤

佐藤　小林さんはストリートウォッチングも活発にされていますよね。ご専門の論文で日本建築学会賞を受賞されている以外にも、研究所の学生さんたちと『街に描く——落書きを消して合法的なアートをつくろう』、『ストリート・ウォッチング——路上観察と心理学的街遊びのヒント』など遊び心のあるご本を出されていて。

小林　ええ。街歩きは好きですね。

佐藤　海外の都市にもあちこち行かれています。

小林　オープンな場で人々の活動が見えている状態が好きなんです。

例えば照明の研究でラスヴェガスに1年暮らしたのですが、街中に監視カメラがある中、1日中誰でも出入りできるカジノがあって、そこがオープンスペースになっていて。真夜中でも大勢の人が歩いていて、それぞれ好きなように過ごしている。いたるところでショーが行われて、賭けをしている人もいれば、エルヴィス・プレスリーの格好をした人もふつうに歩いている。そうやって24時間常に開かれている場所で、多様なアクティビティが展開している。

インドの道端では、人と動物が横切り、果物を売っているすぐ隣で散髪屋が髪を切っていたり、その横で勉強している子どもや踊っている人がいたりします。

このような、一つの場所にいろいろなものが混在して、ゆるやかに影響し合っていることの豊かさに惹かれるんですよね。そういった場所では人同士にも意識が向くので犯罪発生率も低い。日本だと渋谷もそうですよね。

佐藤　日本では殺人事件の約半数が家庭内で起きていますから。密室ほど危険なものはない。

小林　けれど近年の日本はあらゆる活動が空間の中に閉じていっています。公園のようなオープンスペースも制約が多いでしょう。海外と比較して、高校生くらいの初々しいカップルが過ごせるようなデートスポットがほとんどないことも残念に思っているんですよ。

近代社会を発展させる自由権利の基本は、愚かなことを行う権利 ――佐藤

小林　例外的なものもあって、それがスケートボードやストリートミュージックあるいはダンス、それから私の研究対象の一つでもある落書きなどです。これらの何が面白いかというと、人と人との連帯感や偶発性によって、個々が内面に持っている感情が街に表れるんですよね。例えば以前住んでいた家の前には歌手の尾崎豊の記念碑があり、そこにはファンの方々のメッセージが連々と綴られていました。もちろん犯罪の落書きとは分けて考えるべきですが、私はそういった表象は街の表情を豊かにするものだと考えています。

佐藤　なるほど。良い落書きと悪い落書きがある。

小林　これは先程のオープンスペースの話にも通じます。「他人に迷惑をかけるからだめ」と言葉で禁止するだけでは、何が悪いのかを深く理解できません。実際に体験していくことで良い面と悪い面を肌で感じることができますし、両面を理解すれば他者に配慮するモラルも上がっていく。やみくもにリスクを排除するだけでは、自分以外への他者への配慮自体

佐藤　がなくなり、許容範囲がどんどん狭くなっていってしまうと思うんです。近代社会を発展させる自由権利の基本は、愚行権なんですよね。愚かなことを行う権利。幸福追求権と言い換えてもいい。落書きやスケボーも、興味のない人からしたら疑問かもしれません。私のように猫を8頭飼う生活もね。けれど、1頭あたり生涯面倒を見るのに約150万円かかると言われているその金額を、難民に寄付しなさいとは誰も私に命令できない。

小林　そうですよね。

佐藤　愚行権にも他者危害排除の原則はあります。人に危害を加えてはならない。ただし、そこが大きくなりすぎると非常に窮屈な社会になっていく。スケボーは人に怪我をさせるリスクがあるからやめろとか。受動喫煙もそうですね。大学によっては自宅で喫煙するだけでも採用条件から外すと言い出すところもあって、それは行き過ぎではないかと思っているところです。

小林　私も20代の頃に喫煙していて、喫煙所での声の掛け方の研究も行っていました。喫煙所というのも特別な空間ならではのコミュニケーションが生まれやすいんです。違う部署の人とも、なぜか腹を割った話ができるでしょう。理由としては、ほかの場所から離された空間における仲間意識もあるんですが、物理的な距離の近さも大きい。人は2〜3メートル以内に近づくと深い話をしやすくなるんですよ。喫煙所に限らず、コロナ以降はそういった場がどんどんなくなっています。それにはやはり危機感を覚えます。オープンスペースの豊かさを、いま一度考えてみてもいい時期かもしれないですね。

（対談収録　2021年12月1日）

狭い空間に閉じがちな今、
オープンスペースの豊かさを
考え直してみては
――小林

required reading

『街に描く――落書きを消して合法的なアートをつくろう』

理工図書／2009年4月

落書きからアートへ。
街なかに描かれる落書きやグラフィティ（スプレーなどを用いて、電車の車両や高架下の壁といった公共の場に描かれる文字および絵）のことを「街を壊す落書き」と「街をつくるアート」に分類して定義し、その価値を総合的に論じつつ、違法な落書きではなく合法なアートで街を魅力的に彩るというユニークな実験を試みた一冊。グラフィティの歴史、落書き防止活動など街なかの絵に関わる様々な人たちへのインタビュー、東京都市大学小林研究室の学生たちの実体験ほか、国内外の街にあふれるアートの事例も多数掲載し、今後の街の絵のあり方を問い直す。

『ストリート・ウォッチング――路上観察と心理学的街遊びのヒント』

誠信書房／2010年3月

ちょっと視点を変えるだけで、毎日の街歩きがぐっと楽しくなる。

「街の風景は人々がいてこそ魅力的で、美しいものになる」というテーマのもと、街と人の両方を一緒に眺めたときにだけ見ることのできる風景の楽しみ方、観察すべきポイントと穴場、他者を利用した創造的な楽しみ方などを、事例と理論を組み合わせて解説。写真やイラスト、現場での実験・調査結果も豊富に盛り込み、こころのリフレッシュや新しい発想につながるヒントが満載。

第10章

美馬達哉

——わかりやすい「リスク」に隠された落とし穴

美馬達哉
みま・たつや

医療社会学者、脳神経内科医。1966年生まれ、大阪府出身。京都大学大学院医学研究科博士課程修了。立命館大学先端総合学術研究科教授。主な著書に『リスク化される身体――現代医学と統治のテクノロジー』『生を治める術としての近代医療――フーコー『監獄の誕生』を読み直す』『感染症社会――アフターコロナの生政治』など。

「リスク」は多面性や広がりを持っている 事前に対応策を講じるリスクマネジメントで、本当にリスクから逃れられるのかは疑問 ——美馬

美馬　リスクというものは多面性や広がりを持っているということが、グローバル化する中でようやく浮き彫りになってきました。医学においても、科学一般においても。

佐藤　美馬さんは様々な難病を扱う神経内科専門医でありながら、社会学、哲学、倫理学、経済学などの分野を超えた研究を続けておられます。そして度々、「特定のリスクを特別視すること」の危険性を説かれています

ね。一つのリスクだけに注目することで全体像が見えにくくなる。結果、場当たり的な対処法ばかりが先に立ち、根本的な解決方法や、内包するその他のリスクを見過ごすことにつながりやすい、と。

美馬　かつて干ばつや地震といった自然災害こそが最大のリスクだった時代には、人間は雨乞いをしたり神に祈ったり、あるいは諦めたりと受身で対応するしかありませんでした。けれど現代では、リスクはコントロールできるはずという考え方が前提になってきています。例えば今の地球温暖化の問題も、元をたどると産業革命の時代、燃料として石炭を燃やし始めた頃からの影響が積み重なっているわけです。つまり多くのリスクは人間が作り出している。ならば事前に対応策を取りましょう、というのが、昨今のリスクマネジメントの発想ですが、それで本当にリスクから逃れられるのかというと疑問を感じます。というのも、実際に起きてしまう事柄には、現在の人智で観測しきれない要素もあると思うんです。偶然的なもの——平たく言うと「運」というような。

佐藤　わかります。

美馬　でも現在のリスクマネジメントは、リスクは制御できることが前提なので、問題が起きた場合、前提に何かしらの失敗があったと考える。この感覚も行き過ぎるとあまりよくないですね。というのも、リスクを予測できなかったときに、なぜ予測できなかったのか？　どこに見落としがあったのか？　と原因を追求していくやり方は、どうしても犯人探しじみてしまう。それではどんどん窮屈になっていく。スケープゴートとして誰かを犯人に仕立てて責任を取らせ、さらに同じ過ちを繰り返さないために考えられるリスクは全部排除しましょう、あのリスクもこのリスクも排除しましょう、そのためにこんな手続きを増やしましょう……というように。

佐藤　美馬さんは『リスク化される身体――現代医学と統治のテクノロジー』で、行き過ぎたリスクマネジメントが及ぼす個人・社会への影響を詳しく論じられています。

美馬　医療におけるリスクというとき、現代では予防医学を思い浮かべる人が多いと思います。健康診断では、身体上に病識がなくとも、検査上の数値が任意の集団の統計値から外れると例えば「メタボリックシンドローム」あるいはその予備群として「通常よりも心臓病にかかるリスクが◯倍」などの注意喚起と、改善のための保健指導が行われる。改善、つまりリスクマネジメントの責任は個人に委ねられ、またそれに伴い、太っている人は自己管理ができていないと批判するような風潮も生まれる。実際には病の発現には個体差など生活習慣だけに拠らない様々な要因が組み合わさっているものなのですが、それらを無視して枠の中に収めようとする。リスクという脅しで社会が画一化されようとしている。こういったことがメタボ診断に限らずあらゆる箇所で行われているのが現代だと思います。

多面的、多角的な視点を常に意識する ——佐藤

佐藤　リスクにおける人間の要素というと、東海村臨界事故のときに原子力安全委員長だった佐藤一男さんが書かれた『原子力安全の論理——あなたにとって原子力とは』という本の中に、興味深い記述があります。いわく人間には4通りの動き方がある。①やるべきことをやる人。②やるべきことを不十分にしか行わないか、やらない人。③やってはいけないことを行う人。④やってはいけないことをやらない人。①と④のリスクマネジメントはできますが、②と③は自覚がないから矯正も難しい、とい

う。

美馬 やってはいけないことを狙いすましたようにやる人は、残念ながらたしかにいます。わざとではないんでしょうが、何かが見えていないのでちぐはぐなことをするんでしょうね。そういう人は予想外の動きをしますから、やはりすべてのリスクを事前に掌握して対処策を練るのは難しいと思います。

佐藤 医療現場でもしこのような、自分の行動がリスクだと気づいていない人がいたとして、まわりが気づかせるにはどんな方法があると思われますか。

美馬 その人の中で「このやり方が絶対に良い」「反対意見は確実に間違っている」という物語ができあがってしまっていたら、通常の人間関係での修正は無理ですね。

佐藤 つまり、ある種の強制力が必要になる。

美馬 そうですね。しかし医療現場ではそうならないよう、多職種連携といって、一人では意思決定できないシステムにしています。必ずカンファレンスをするとか、いろんなチームを作るとか。今は科学技術の分野でもたいていそうなっています。

佐藤　何事も偏りは良くない結果を招きがちです。多面的、多角的な視点を常に意識しなければなりませんね。

近代以降の福祉国家の権力は、「ルールに従わなければ殺す」ではなく「殺し合いに行けば快適な一生を保証します」

──美馬

佐藤　『生を治める術としての近代医療──フーコー『監獄の誕生』を読み直

す』は、読みながら獄中生活を思い出して身につまされるものがありました。リスクマネジメントが徹底されたパノプティコン（全展望型の監視システム）の中では、囚人は自ら従うようになる。見られているかどうかわからないのだけど、いつも見られているという精神状態になるから。その感覚は獄中にいるとよくわかります。監獄では囚人を管理して秩序に組み込むシステムが圧縮されていますから。

美馬　それが緩くなったものが「学校」ですよね。

佐藤　しかも東京拘置所の新獄舎なんて、分厚い壁におおわれて外の天気もわからない、音も何も聞こえません。

美馬　拘置所内の環境に関しては、拷問ではないかと疑問視する声はずっとあるんです。脳科学の分野でも、人の感覚を遮断するとどのような影響があるのかという人体実験がありました。結果次第では洗脳に活用できるんじゃないかということで、1950年代にCIAがずっと資金援助していたという話もあって。

佐藤　ありうる話です。精神も思考力も弱っていたほうが、管理しやすいですからね。

美馬　フーコーは近代以降の権力を「生権力（せいけんりょく）」と呼んでいます。近代以前の権力は「ルールに従わなければ殺す」というものでした。しかし近代では、人々の「生」に積極的に関与し、管理し、誘導する。この概念で面白いと思ったのは、第二次大戦後に当たり前のようになったいわゆる福祉国家は、もともと徴兵制や戦争とペアになっている、という考え方です。つまり「殺すぞ」と脅すのではなく「さあ殺し合いに行きなさい。そうすればその後は、長くて快適な一生を約束しましょう」という方向性で従わせる。一方で「この人たちは排除していい」と判断した場合は、ナチスドイツのように容赦なく排除する。この二つが、近代以降の国家のある意味本質をついているのではと思っています。

かつてのアメリカの厳しい検疫は、移民国家のイニシエーションだった——美馬

佐藤　『感染症社会——アフターコロナの生政治』の、植民地支配とコロナの関係、帝国主義的な植民者からの裏面性、このあたりの視点も非常に面白かったです。「検疫」というシステムは、もともと人種主義の要素が合わさっていたという。

美馬　検疫を一番厳しく始めたのは、移民国家であるアメリカです。移民船が到着するニューヨークとサンフランシスコに大きな検疫所があって、そこで引っかかると入国できずに強制送還される。それだけでなく、検疫

の順番待ちをするあいだ、ずらっと並ばせるんですよ。ヨーロッパ、特にフランスやイタリアでは、今でも列に並ぶという習慣のない人のほうが多い。当時ならなおさらです。そういった行列経験のない人々を並ばせて、裸にしてチェックをする。それがある種のイニシエーションというか、裏の教育になっていたんじゃないかという話がありますね。そうして秩序や上下関係を刷り込んで、適応できた者だけがアメリカで労働者になれる。

佐藤　通過儀礼になっているわけですね。

美馬　「生-権力」という概念に触発された思想家には「人間が自分自身を家畜化してきたのが近代や文明、文化なのではないか」と言っている人たちがいて、それも興味深い指摘だなと思います。

重視している価値観から一度降りて、いつもなら選ばない選択肢を選んでみる ——美馬

佐藤 『リスク化される身体』の中で、美馬さんは「愚行の自由」に触れておられます。私も以前から、伝統的自由主義の愚行権をとても重要と考えています。愚かなことをする権利、幸福追求権と言い換えてもいい。唯一の例外に他者危害排除の原則がありますが、つまり他者に危害を与えなければ、個人は、他者や社会全体から見て、たとえ愚かな行動であっても自由に行動をする権利を持っている。お互いにそれは尊重するべきものであって、多少の迷惑には目をつむる。ただ今の時代は、その権利

がますます脅かされているように思います。偏ったリスク管理を行った結果、どんどん窮屈に、がんじがらめになってしまったら本末転倒ですよね。

美馬　渦中にいるとなかなか自覚できないものですが、もしこれを読んでいる人の中で、今の生活に窮屈さを感じている人がいるとしたら、一番気になっている、恐れているリスクや窮屈さを感じるシステムから、少しだけでも距離を取ることを勧めたいですね。

簡単なことでいいんです。普段スマホをよく見ている人なら、スマホに触れない日を1日作るだけで世界の見え方が変わるはず。

そして新しい別の価値観を取り入れてみる。便利さとかお金とか自己実現とか、日頃重視している価値観から一度降りて、いつもなら選ばないような選択肢をわざと選んでみる。

職業柄あまり大きな声では言えませんが、もし普段から健康に気をつけている人なら思い切って「健康第一」ではない過ごし方をしてみるのもいいでしょう。あるいは実店舗の本屋さんや図書館に足を運んで、アマゾンのリコメンドには出てきそうにないジャンルの本棚を眺めてみるだけでもいい。そうすることで、誰かから押しつけられる価値観に翻弄されることなく、自分の豊かな人生のための行動を見直すきっかけが得られるのではないかと思います。

（対談収録　2022年11月30日）

誰かから押しつけられる価値観に
翻弄されることなく
自分の豊かな人生のための行動を

――美馬

required reading

『リスク化される身体——現代医学と統治のテクノロジー』

青土社／2012年11月

健康診断、ライフスタイルのパターン分析などのデータをもとに、人間の身体が数値化されている今、病人だけではなく健康人までもがリスクに脅かされ、絶えず自己管理を迫られている。メタボリックシンドロームやインフルエンザのリスクパニック、医療「崩壊」、大震災……。ミクロからマクロまで、目の前に増え続ける「リスク」の裏側に潜む知られざる落とし穴を、精緻な分析のもとで明らかにする。

『生を治める術としての近代医療——フーコー『監獄の誕生』を読み直す』

現代書館／2015年7月

フランスの思想家ミッシェル・フーコーによる権力論『監獄の誕生』（1975年出版）は、「身体刑」「処罰」「規律・訓練」「監獄」の4章構成により、刑罰が近代化してきた過程が分析されている。それから50年以上経った現在、グローバリゼーションと情報社会の進展はフーコーの描いた『監獄』を思いもかけない形に変容させた。
私たちの身体に密かに浸透している「医療という権力」は何を統治しようとしているのか。それに抵抗する術はあるのだろうか。これまでになかった視点で名著を読み直すことで、現代社会が抱える問題の本質をあぶり出す。

『感染症社会――アフターコロナの生政治』 人文書院／2020年7月

「もし、COVID-19が諸国民の間を徘徊して恐怖をかき立てる妖怪なのだとすれば、〈感染症〉とは何よりも政治学の対象であって、医学と生物学の対象ではない。それは、チェルノブイリ原発、地球温暖化、エイズ、金融不安、テロ・ネットワークなど、次々に出没しては人々の脳髄を恐怖によって押さえつけて支配するスペクタクルの歴史にこそ位置づけられるべきものなのであり、医学史や環境史の一頁ではないのだ。」（本文より）
現役の医師であり医療社会学者でもある著者が、COVID-19に関する医学的知見と発生以来の経緯を社会学的分析で解析する。
混乱の本質とは何か。この先にある世界とは？

第11章

大澤真幸

——学びを身につける最高の方法は？

大澤真幸
おおさわ・まさち

社会学者。1958年生まれ、長野県出身。東京大学大学院社会学研究科博士課程単位取得満期退学。千葉大学文学部助教授、京都大学大学院人間・環境学研究科教授を歴任。近著に『この世界の問い方――普遍的な正義と資本主義の行方』『私たちの想像力は資本主義を超えるか』など。

学んだことが身につくかは、究極には自分の問題だと思えるかどうか ——大澤

佐藤 大澤さんは、歴史上の出来事を哲学的な手法を用いてひもといていく画期的なシリーズ『〈世界史〉の哲学』をライフワークにされているほか、ジャンルに囚われない自由な視点から、様々な分野にわたって研究を続けられています。私より2学年先輩ですけれども、思考や分析に使う道具が明らかに先進的なんですよね。私のほうがジジイです。

大澤 ジジイってことはないけど（笑）。いや、褒めていただいてありがとうございます。佐藤さんに言われるところそばゆいな。『〈世界史〉の哲学』

は最近、文庫版も出してもらえてね。

僕がいろいろな分野に、ほかの人より多少広めに目配せしているのだとしたら、それは結果論なんですよ。というのも、自分のその時々の関心を掘り下げていくと、世界で起きている様々な問題はすべてつながっているじゃないですか。

若い人たちを見ていると、勉強意欲はあっても何から勉強していいかわからないという意見が結構あります。それって自分の問題とつながっていないからなんだよね。学んだことが身につくかどうかは、個人のスペックや学習時間の問題ではなくて、究極には自分の問題だと思えるかどうかだから。

佐藤 知識欲は興味関心の強さに比例しますよね。突然「ビットコインの現在価格は?」と尋ねられて答えられる人は、まず間違いなくビットコインを持っている。

大澤 そうですね(笑)。今、話していて思い出したのは、吉本隆明が書いていた「井の中の蛙」論。吉本隆明って若い読者のみなさんはわかるかな。僕らより上の世代の、思想界のリーダーみたいだった人。

佐藤　作家の吉本ばななさんのお父さんでもある。我々の世代だと彼の著書『共同幻想論』を読んでいない人はいないくらいでした。

大澤　難しくて言っていることがわからないようなところも本当はあるんですけれども。彼は戦後、それまでヨーロッパの受け売りをしてきた学者や思想家を批判する形で、日本は今後、大衆の真実の実感を根に思想を掴みきるべきだと説いたんです。「井の中の蛙」でいいんだ、大海に幻想を持つのではなく、井戸を掘り下げることで井戸の外に出ることができるんだと。

佐藤　イメージ的には井戸をずっと掘っていると、そこに地下水脈があって、その地下水脈が地球全体につながっているっていう。

大澤　そう。実際にそういう感覚を戦後25年くらいはみんなある程度は持っていたんじゃないかな。

周辺知識が乏しいと
局所的に専門知識に詳しくても
でたらめな分析や予測をしてしまう

——佐藤

大澤　でもそこそこ先進国として豊かになってくると、だんだん深く掘ることも難しくなって、掘っても世界とつながる感覚を持てなくなってきた。そうして学問的な知識によって世界にアクセスできなくなってきたとき、反作用的に生まれたのが「オタク」なんですよね。ちょうど私たちくらいの年代がいわゆるオタクの第一世代だと思うんだけど。で、オタクの一番の特徴は、特定の狭い領域にその人の世界がすべて投影されていることだと思うんです。

佐藤　マイクロコスモスになっているわけですよね。

大澤　そう、宇宙（コスモス）。宇宙だからそこで完結していて外の世界なんかなくていい。むしろあったら意味がない。現実の世界にアクセスできなくなったときに、小さな領域を「世界」そのものと見なし、そこにアクセスして満足する。

ただそれって危ういよね。完全に閉じてしまって、広がらないから。井戸を深く掘って大海へとつながっていくのとは真逆で、井戸の中に永遠にとどまることになる。

佐藤　昨今のメディアを見ていても危機感を覚えます。ロシア―ウクライナ戦争に関しても、元プラモデルオタクのような人が軍事評論家として出てくると、兵器体系や性能には詳しくても、歴史や民族の事情を理解していないから、とんでもないでたらめな分析や予測をしたりする。それに予測がコロコロ変わる。

大澤　周辺知識がないとそうなってしまうんですよね。

調べ続け、考え続け、結果、自然と井戸を深く掘っている――大澤

佐藤　もっともそれは、本当の専門家であるアカデミズムの人たちが臆して黙っているのもよくないんです。きちんと発信すべきときに自分の学知にもとづいた発言をしないのであれば、なんのための学問なのかと私なんかは思いますけれどね。

大澤　たぶん使命感のようなものも重要なんですよ。佐藤さんも僕も、なぜいろいろなことを知りたいと思うのか、それを発信しているのかというと、

極論すれば世界から問われている、呼びかけられている感覚があるからだと思う。この感覚があると、中途半端な答えでは納得できない。だから調べ続ける、考え続ける。結果、自然と井戸を深く掘っている。いわゆるオタクの人や、必要なときに発信しない専門家っていうのは、その感覚が弱いんじゃないかな。

佐藤　その感覚はキリスト教で言うところの「コーリング（神から与えられた使命、召命）」に通じるものがありますね。

大澤　たしかに。僕は佐藤さんのような神学の専門家でも信者でもありませんが、キリスト教というものに対する勘はあると思います。というのも、現代を理解するには、西洋のアイデンティティであるキリスト教の知識は必須だから。『〈世界史〉の哲学』をキリストの死の出来事から始めたのもそういう理由です。これは学問的なものだけではなく、今のウクライナ戦争に関しても同じ。西側のキリスト教と東側のキリスト教があって、その中で戦っている。資本主義も、ある種キリスト教の応用ですからね。

佐藤 そのあたりを詳しく知りたい人には大ベストセラーにもなった『ふしぎなキリスト教』がおすすめです。大澤さんと橋爪大三郎さんの対談本で、キリスト教的なる価値観というものを持っているその構造、その危うさにも触れておられる。同じくお二人の『おどろきのウクライナ』も大変面白く読みました。ぜひ一緒に読んでほしいですね。

知識人としての使命感の強さが説得力と魅力になる ——佐藤

大澤 佐藤さんは70～80年代半ばにヨーロッパやロシアに行き、決定的な歴史の転換点にあたるときにソ連にいたわけですから、もう肌感覚で世界と接しているんだと思うんですよ。そういう経験はなかなかできるものではないけれど、誰でもできることといえば、自分にとって一番重要な問題を深掘りしていくのがいいと思う。

例えば求職中だけど仕事が見つからない、恋人ともうまくいってない、という悩みがあったら、その人生の問題と向き合って解決のための情報を集め、それらの関係を徹底的に探究する。雇用の問題も、個人的な付き合いも――例えばデートでどんな店を選ぶかだって、社会情勢や景気と大きな関わりがある。すると、自分の生活には関係ないと思っていた戦争も、実は大きなところでつながっていることがわかってくる。

佐藤　大澤さんが世界から呼びかけられていると感じたのはいつですか。何かきっかけが？

大澤　中学1年生の3学期でした。当時読んでいた本の影響もあるんだけど、やはり社会の空気の変化とも関係があって。一番印象的だったのが連合赤軍事件。１９７2年2月の「あさま山荘事件」では、共産主義革命をかかげた若者が武装し、10日間にわたって軽井沢のあさま山荘に立てこもりました。警察機動隊との攻防戦はテレビでも中継されて、最高視聴率は89・7パーセントにも上ったそうです。その頃は連合赤軍を応援する雰囲気もあったんですよ。当時日本の3割くらいのリベラルな人はそうだったんじゃないかな。ベトナム戦争のさなか、反戦運動やベトナム人民支援の運動も起きていた。理想の社会を求める若者たちの変革への意志に共感していた。僕もそうでした。

　ところがその後、連合赤軍のアジトで仲間同士の悲惨なリンチ殺人が行われていた事実が発覚したとき、子どもながらに救いようのない暗い気持ちになったんです。と同時に自分が世界と接していく感覚が芽生えたのを、わりとクリアに覚えていますね。そこから知的好奇心というか、自分のいるこの世界でまだ知らないことを知りたい、知らなければ、という感覚が強くなりました。

佐藤　知識人としての使命感の強さが大澤さんの説得力にも魅力にもなっているんだなと改めて思いますね。

大澤　いやいや。ただそういう感覚を今の若い人は持ちにくくなっているとは思います。世界に接したい気持ちがあっても難しいから、何かのオタクになっているんじゃないかと。

佐藤　代償行為のような形で。

大澤　ええ。セカイ系の物語が流行るのも同じ理由ですよね。フィクションを媒介にして現実の中核にある構造を知るというのであればいいんだけど、フィクションの中で閉じて完結してしまうと、どうしても、何か満たされないものが出てくるんじゃないかと。人生を豊かに満たすには、やはり自分の井戸を掘り進めて、現実の世界である地下水脈まで掘りつくす覚悟がいると思うんです。

（対談収録　2023年3月27日）

関係ないと思っていた事柄も
すべてが自分とつながっている
そのことに気づいたとき
人生が豊かに満たされる
――大澤

required reading

『〈世界史〉の哲学』シリーズ　講談社／2011年9月～

文芸誌『群像』にて2009年2月より連載中の『〈世界史〉の哲学』シリーズを書籍化。イエス・キリストはなぜ殺害されたのか？　たった一人の男の死がなぜこれほどまでに世界に衝撃を与えたのか？　愛を説く宗教がなぜセックスを原罪とするのか――。世界史のミステリー・オブ・ミステリーと言えるイエス・キリスト殺害事件の考察を皮切りに、大胆な筆致が西洋中世史を書き換える。

第一巻　古代篇
第二巻　中世篇
第三巻　東洋篇
第四巻　イスラーム篇
第五巻　近世篇
第六巻　近代篇1　〈主体〉の誕生
第七巻　近代篇2　資本主義の父殺し
第八巻　現代篇1　フロイトからファシズムへ
以下続刊予定

『ふしぎなキリスト教』講談社現代新書／2011年5月 ※橋爪大三郎さんとの共著

キリスト教を知れば世界が見える――。なぜ神が一つなのか？　預言者とは何者か？　イエスは神なのか人なのか？　聖書は誰が書いたのか？　キリスト教の基本的な成り立ちから、知っているつもりで実は知らない謎までを読み解く。新書大賞2012大賞受賞。

『おどろきのウクライナ』集英社新書／2022年11月 ※橋爪大三郎さんとの共著

権威主義国家VS自由・民主主義陣営。プーチンは地獄の扉を開いた！　2022年2月、ロシアのウクライナ侵攻は世界の常識をくつがえした。自由と人権と民主主義、資本主義と法の支配、言論の自由と選挙とナショナリズム……。アメリカ覇権の終焉後に始まる、ロシア、中国など権威主義国家と自由・民主主義陣営の戦いとは？　私たちは新しい世界にどう向き合うべきなのか？　安全保障や経済政策の観点に加えて、文面論、宗教学、歴史など広く社会的な視座から混迷する国際社会の本質を読み解く。

『この世界の問い方――普遍的な正義と資本主義の行方』朝日新書／2022年11月

「どんな条件のもとで、混乱と無秩序が希望に結びつくのか。私たちが自分自身について、どこから来てどこへと向かっているのか、明確な展望をもっていること、それが必須条件だ。このとき、現在の混乱や無秩序から希望を紡ぎ出すことができる。本書に収録した評論は、そうした展望を獲得することを目標としている。」（まえがきより）

朝日新聞出版のPR月刊誌『一冊の本』で連載された「この世界の問い方」を再編集・加筆した評論集。

ロシアがウクライナに侵攻した理由。緊張感を増す米中対立と台湾有事。そして、揺らぐ民主主義的資本主義の限界と、勢力を増す権威主義的資本主義が描く衝撃の未来予想図とは。歴史、宗教、哲学、地政学など多角的な分析から、複雑に絡み合った世界情勢が明らかに。

コロナ禍により議論が活発化したベーシックインカムの理論的な可否や、バイデンの勝利から考えうる2024年アメリカ大統領選の行方、日本国憲法の特異性などについても言及。

第12章

森田真生

――「感じる」こと、「動く」こと

森田真生
もりた・まさお

独立研究者。1985年生まれ、東京都出身。京都に拠点を構えて、研究・執筆の傍ら、国内外で数学の講演会や数学ブックトークなどのライブ活動を実施。主な著書に『数学する身体』『計算する生命』『僕たちはどう生きるか——言葉と思考のエコロジカルな転回』など。

自身の身体を変容させながら、学問を探求していく可能性 ――森田

佐藤 我が家の水槽にはアカオビシマハゼとホンヤドカリとイソガニとムラサキウニとコトヒキとエビがいて、最近はボラもやってきたのですが。

森田 たくさんいますね（笑）。

佐藤 コトヒキがなかなか凶暴で、あるときホンヤドカリを4匹食べちゃったんです。それでか弱いエビを別の水槽に移した――と、なんでこの話をしたかというと、森田さんの『僕たちはどう生きるか――言葉と思考のエコロジカルな転回』の序文に、庭で見守っていたアゲハの蛹(さなぎ)が、鳥に

食べられてしまったであろう記述があるでしょう。そこですぐに「これも大きな自然の営みの一つ」と考えられる視座に感銘を受けました。私なら「クソ鳥め」と思いますし、次に蛹を見つけたら網をかけて保護するかもしれない。エビを別の水槽に移したように、目の前の命に執着して、自然を無視する形を選択してしまいます。

森田 そういうところも佐藤さんの魅力だと思います。眼の前のものにぐっと関心を集めていくその集中力。そして、頭だけではなく感性をベースに知が動いているというか。

佐藤 森田さんは大学や研究所といった制度化された組織には属さずに京都の古民家をラボにされていて、研究スタイルも独特です。そもそも数学や身体性に興味を持ったきっかけは何かあるんですか?

森田 遡ると、2歳から10歳までシカゴにいた経験も関係すると思います。当時はシカゴ・ブルズの全盛期で、マイケル・ジョーダンが神様みたいな環境でした。僕もプロバスケ選手になりたいと思いながら全試合を見て真似をして、日本に帰国してからもバスケの強い中学に入ったんです。そのバスケ部のコーチの一人が、本業は山伏という面白い先生でした。なので、バスケの練習だけではなくヨガをしたり、桜井章一の『雀鬼流。』やインドの哲人ジッドゥ・クリシュナムルティの本を渡されたり。武術家の甲野善紀さんの話を聞く機会もありました。

佐藤　古武術の本を多く出されている方ですね。

森田　はい。そこで、頭だけを使うのではなく、自身の身体を変容させながら学問を探求していく可能性を知りました。その後、大学は文系で入学したのですが、人工生命を研究する研究室にいた鈴木健さん（のちのスマートニュース共同創業者）と出会い、数学やコンピュータが身体性について厳密に語るための強力な道具であると知り、きちんと数学を学び直すために転部したんです。数学者である岡潔のエッセイに出合って感銘を受けたことも、数学の道に進みたいと思う大きなきっかけでした。

佐藤　海外に出ようとは考えませんでしたか。

森田　出ようと思っていましたが、子どもが生まれてから考えが変わっていきました。今は京都という場所だからこそできることをしたいと考えています。松の木などに登って庭木の剪定をしながら、考え、書き、ときに各地で開かれるトークショーに出かけていくような毎日です。

佐藤　数学にはもともと興味があったんですか？

森田　小さな頃から好きでした。怪我して泣いていても、母親に計算問題を出されると泣き止んで考えだす子だったらしいです。でも中学高校くらいになると、疑問も増えてきました。例えば中高で学ぶ幾何学では、形の学問といいながら、基本的には代数多項式で書けるような非常に限られた形しか扱っていない。もっと絵の具をぶちまけたような形とか、目を閉じたときに浮かんでくる形とか、いろいろな形を考えられないのだろうか、と。

佐藤　その頃すでに、大学以降の問題意識になっていたんですね。

数学にはもっと多様な可能性があるはず――森田

森田　まさに、大学以降の数学と出合うと、これが本当に面白かった。同時に、その歴史や概念の起源を学んでいくうちに、数学と言われている学問がそれ自体、近代ヨーロッパの中で様々な思想に制約されながら、固有の条件の中で作られてきた思考であるとわかってきました。

佐藤　対数は天文学の発展とともに登場しましたしね。

森田　数学だけを他から切り離すことはできないし、数学にはもっと多様な可能性があるはずです。今僕は、子どものための学びの場所を作る活動もしているのですが、子どもたちが身近な環境の中で学び、新しい経験や感覚を培っていくことが、未来の数学の基本を支えていくのではないかと。

佐藤 ある意味では歴史主義的なアプローチでもありますね。

森田 そうですね。長期計画ではありますが、子どもが育つ環境を作ることが、すごく大事だと考えています。

長く数学に打ち込み続けるには、自分の感動や知識を伝えたいという気持ちが大切

――佐藤

森田　イスラム世界からヨーロッパに数学が伝わって、デカルトによる体系ができるまでに400～500年かかっています。日本に数学が伝わってからはまだ百何十年と考えると、独自の数学が花ひらくまでには、時間がかかるかもしれません。そして、どんな抽象的な思考も、その根底には「感じる」ことと「動く」ことがある。生きているものはみんな、感じる力と動く力を授けられている。世界全体を見渡すことができない以上、動き回って感じてみることを通して、自分のいる場所を理解しようとするのが、生命システムの基本ですよね。

佐藤　ムラサキウニは脳も心肺装置もないけれど、管足(かんそく)でそれはそれはよく動き回ります。日高昆布なんかあげるとガラスを登ってきますよ。

森田　ガラスを？　昆布の匂いを感じて動いているんでしょうか。不思議だけど、脳も肺も心臓もなく、だけど感じながら動いて生きているって、この地球上ではむしろ多数派ですよね。植物も然りです。自分のいる場所がどんなところなのか、まわりに何があるのか、可能な手段を用いて感じ取り、探っていく。

でも現代を生きる人間はこの「感じる」と「動く」をつなげづらい状況が増えていると思います。そもそもなぜそこが分かれ始めたのか、その問題を考えながら書いたのが『計算する生命』でした。

佐藤 教えている学生たちにも読むように薦めています。神学をやっていると、数学の問題は避けては通れないものですから。『計算する生命』では特に、分析と総合の相補性に関する記述が衝撃でした。引用されていたベルンハルト・リーマンの言説を私は知らなかったんですよ。よく気がつきましたね。

森田 嬉しいです。今ちょうど『計算する生命』の文庫化の作業をしていて、そのあたりも含めてもう少し補完できればと思っているところです。

佐藤 楽しみにしています。数学を学ぶ人は多いけれど、長く打ち込み続けるにはおそらく強靱な意志力と、本当に数学が好きな気持ち、自分の感動や知識を世の中に伝えたいという気持ちがないとできないのだろうなと

森田　思います。森田さんの場合は自分で環境を作る能力もすごいけれど。究極的には僕は、新しい「行為」を作りたいんです。何かを理解しようとして動いた結果、動き方のスタイルそのものが新しく生まれることがある。まだ「数学」のように名前はついていないけれど、長く続いていく行為が生成していく。そんな場面に立ち会えたら素晴らしいですね。

変化することは、
今の自分ではなくなること
もっと人間も大胆に変化していいはず
――森田

佐藤　今30代前半くらいまでの人たちを見ていると、理想とするロールモデルに出会えないまま急き立てられたように起業をするか、あるいは安定した組織に入りたくて思うように行かずストレスを抱えている人が多い。そういった中で、森田さんの精微な視線と身体性――つまり「生きていること」を結びつけようという試みは、非常に魅力的に映るんじゃないかな。

森田　ありがとうございます。「未来」って、現在から見たらどうしても残酷な面がある。変化することは、今の自分ではなくなることなので。そこに現在の延長線上の希望を見出そうとすると、辛くなるかもしれない。だから蝶が芋虫から蛹になり羽化するように、植物が季節ごとに姿を変えるように、もっと人間も大胆に変化していいと思うんです。夏に会った人と冬に会ったら、見た目も名前も肩書も変わっているっていう、それぐらい軽やかでいいんじゃないかと思っていて。

　そうやって、自分が変わり続けること、自分たちはやがて違うものになってしまうという感覚を受け入れる姿勢が、むしろ、今を生きることになるんじゃないかなと思います。

（対談収録 2023年10月3日）

自分が変わり続けることを
受け入れる姿勢が
今を生きることになるのでは
——森田

required reading

『計算する生命』 新潮社／2021年4月

計算はいつでも、人間の認識を拡張する営みだった。不確かな現実のなかで、確かな認識を得たいという情熱が、計算の歴史を駆動してきたのだ。「人間が機械を模倣する」計算が加速し続ける現代にあっても、人は、記号を操って結果を生み出すだけの機械ではない。思考し、意味を考え、現実を新たに編み直し続ける「計算する生命」なのだ。機械と生命の対立を越え、計算との新たな関係が形作る未来とは。

計算の歴史を、粘土や指を使って数を数えたメソポタミアの時代まで遡り、ユークリッドやデカルト、リーマン、ウィトゲンシュタインといった先人たちの軌跡をたどり、最新の認知科学研究や人工生命研究をも参考にしつつ、生命や生きることとの根源に迫る。

2022年第10回河合隼雄学芸賞受賞。2023年12月に文庫版刊行。


『僕たちはどう生きるか──言葉と思考のエコロジカルな転回』 集英社／2021年9月

未来はすでに僕を侵食し始めている。

未曾有のパンデミック、加速する気候変動……人類の自己破壊的な営みとともに、「日常」は崩壊しつつある。それでも流れを止めない「生命」とその多様な賑わいを、いかに受け容れ、次世代へとつなごうか。

「ここでないどこかに行く」ためではなく、「すでにいるこの場所をより精緻に知る」ために。心を壊さず、しかも感じることをやめないために。

月刊文芸誌『すばる』で2020年春から1年にわたり連載されたエッセイを収録。京都での家族との暮らし、植物や虫たちとの共生など四季折々の風景を繊細な言葉で綴りながら、これからの時代の生き方について思索した、著者の「混沌」と「試行錯誤」の記録。

あとがき

1月23日に私をメインに扱ったNHK総合テレビの「クローズアップ現代」が放送された。放送されなかった部分を含む取材記録がNHKのウエブに掲載された。そこでジャーナリストの池上彰氏が私の情報収集・分析の手法の特徴が相手の「内在的論理」をつかもうとするところにあると指摘している。

「『内在的論理』とは、それぞれの国、あるいはそれぞれの団体がどのような論理でこのようなことをしようとしているのかということです。その論理をまず知ることが必要だと。つまりそれに賛成する反対するということではなく、まずは相手のことを知ろう、あるいは言ってしまえば敵のことを知らなければ対応もしようがないでしょうと、こういうことですね。

たとえばロシアのプーチン大統領がウクライナに攻め込んだ。『ロシアは信じられないことをやっているよな』というように一般的には受け止めますけど、でもロシアには、あるいはプーチン大統領にはそれなりの論理があるはずだ。それはどういうことなのか、ということを解きほぐして、これを伝えていこうという、こういうことだと思うんですね。だからといってプーチン大統領がやっていることが正しいことだと言っているわけではないんですよね。こういう論理でこうやっているんだ、じゃあそれに対して私たちはどのような論理で立ち向かえばいいのかということを考えるきっかけになるわけですよね。

あるいはイスラエルがガザ地区でハマスに対する攻撃をしている。イスラエルが怒るのもわかるけれど、『ちょっとやり過ぎじゃないの』と思う人がいるのは当然のことですよね。でもその時に『何でイスラエルがあんなことをやるのか』ということを理解した上で、じゃあそれに対してどのように止めることができるのか、あるいはアドバイスすることができるのか、ということを知っておかなければいけない。

まずは内在的論理を知った上で私たちはどうするのかを考える。それを常に佐藤さんは訴えているということですね。」

「取材ノート」はこう続く。「相手の価値や信条の体系を把握する内在的論理。それを理解して対話を始めることが、今の日本に、そして世界に求められている。佐藤さんとの対話を経て、池上さんが今考えることだ。」NHK「クローズアップ現代」取材ノート（https://www.nhk.or.jp/minplus/0121/topic052.html）

本書でも私は対談相手の内在的論理をつかむことに最大限の努力を払った。まず相手の考えに虚心坦懐に耳を傾け、その内在的論理をつかむことで、建設的な対話が可能になるからだ。

最近流行している「論破」では、懸案が解決しないことについても池上氏は正確に理解している。

「今、『論破』って言葉があるでしょう。『論破王』がいたりしてですね。『論破したぜ』というと、そこで終わっちゃうんですよね。論破したよ、はいおしまい、になる。だから世の中はダメなんですよ。そうではない、相手との意見が対立していても、でも相手が何を考えているかを理解した上で、それについて対応する。そうしたらまた向こうから返ってくるという形で、キャッチボールが行われますよね。それが結果的に次の解決策につながってくる。とにかく『相手を論破したぞ』、『こっちが勝った』。勝ち負けだったら先に進まないわけですよね。結果的に対立が続くということになる。対話でとにかく何を言っているのかしっかり理解した上で、それについて私はこう思うという形で、少しでも議論をかみ合わせていくということ、それが（物事の）解決に進んでいくということだろうと思うんですね」（同上）

本書の特徴は、「論破」を目的とした競技ディベートのような対談とは本質的に異なる、相互理解を深める対話の例を示していることだ。人間の特徴は言葉でコミュニケーションをとることだ。アメリカの文化人類学者、社会学者、言語学者でサイバネティクス専門家のグレゴリー・ベイトソンは、言葉が信用できなくなった状況での国家の行動は言葉を用いないでコミュニケーションをとる動物に近づくという仮説に基づいて、キューバ・ミサイル危機における米ソの関係を蛸の喧嘩との類比で分析した。言葉の信頼を回復しないと、私たちは動物のような喧嘩をすることになってしまう。その意味でも本書で展開された建設的ディアローグ（対話、対談）が重要なのだ。

本書を上梓するにあたってはポプラ社の浅井四葉氏、フリーランス編集者兼ライターの藤崎美穂氏にお世話になりました。どうもありがとうございます。

2024年1月29日、曙橋（東京都新宿区）の自宅にて、

佐藤 優

本書は、フリーマガジン『ＦＩＬＴ』に掲載された「右肩下がりの君たちへ」「生き方さがしの道しるべ」（２０１７年11月～２０２３年11月）に加筆修正を加え、書籍化したものです。なお、各章末の本の紹介は出版社ＨＰ等を参考に作成しました。

カバー写真／浅田 創
カバーデザイン／フロッグキングスタジオ
企画協力／ＦＩＬＴ
編集協力／藤崎美穂
本文ＤＴＰ／高羽正江

佐藤 優

さとう・まさる

作家。1960年生まれ、東京都出身。元外務省・主任分析官として情報活動に従事したインテリジェンスの第一人者。“知の怪物”と称されるほどの圧倒的な知識と、そこからうかがえる知性に共感する人が多数。『国家の罠 外務省のラスプーチンと呼ばれて』（新潮社）で第59回毎日出版文化賞特別賞を、『自壊する帝国』（新潮社）で新潮ドキュメント賞、大宅壮一ノンフィクション賞を受賞。第68回菊池寛賞受賞。『読書の技法』（東洋経済新報社）、『勉強法 教養講座「情報分析とは何か」』（KADOKAWA）、『危機の正体 コロナ時代を生き抜く技法』（朝日新聞出版）など著書多数。

ポプラ新書
256
天才たちのインテリジェンス
2024年3月4日 第1刷発行
2024年4月6日 第2刷

著者
佐藤 優

発行者
加藤裕樹

編集
浅井四葉

発行所
株式会社 ポプラ社
〒141-8210 東京都品川区西五反田3-5-8
JR目黒MARCビル12階
一般書ホームページ www.webasta.jp

ブックデザイン
鈴木成一デザイン室

印刷・製本
図書印刷株式会社

N.D.C.159/230P/18cm/ISBN978-4-591-18139-3

P8201256

生きるとは共に未来を語ること　共に希望を語ること

昭和二十二年、ポプラ社は、戦後の荒廃した東京の焼け跡を目のあたりにし、次の世代の日本を創るべき子どもたちが、ポプラ(白楊)の樹のように、まっすぐにすくすくと成長することを願って、児童図書専門出版社として創業いたしました。

創業以来、すでに六十六年の歳月が経ち、何人たりとも予測できない不透明な世界が出現してしまいました。

この未曾有の混迷と閉塞感におおいつくされた日本の現状を鑑みるにつけ、私どもは出版人としていかなる国家像、いかなる日本人像、そしてグローバル化しボーダレス化した世界的状況の裡で、いかなる人類像を創造しなければならないかという、大命題に応えるべく、強靭な志をもち、共に未来を語り共に希望を語りあえる状況を創ることこそ、私どもに課せられた最大の使命だと考えます。

ポプラ社は創業の原点にもどり、人々がすこやかにすくすくと、生きる喜びを感じられる世界を実現させることに希いと祈りをこめて、ここにポプラ新書を創刊するものです。

未来への挑戦！

平成二十五年　九月吉日　　株式会社ポプラ社